Prix littéraire du Salon du livre du Saguenay

Finaliste – Prix des collégiens

Finaliste – Prix des lecteurs émergents
de l'Abitibi-Témiscamingue

Première sélection – Prix des libraires du Québec

« Troublant. »
La Presse

« Ce livre cinématographique à la mécanique implacable
est digne d'un suspense hitchcockien. »
Le Soleil

« D'une densité rare, ce roman confirme que,
peu importe le genre qu'il pratique, Larry Tremblay
excelle toujours à fouiller le tréfonds
de la psyché humaine avec une implacable acuité. »
Le libraire

« Tout dégénère, comme dans un bon vieux thriller. [...]
L'écriture est nerveuse. Et néanmoins appliquée.
Mystère, montée dramatique, spirale de la violence :
tout est là. On baigne dans un climat trouble
qui va de Charybde en Scylla. Et qui finit
par nous habiter complètement. »
Le Devoir

DU MÊME AUTEUR

Roman, récit

Le Mangeur de bicyclette, Leméac, 2002
Poudre de kumkum, XYZ, 2002
Piercing, Gallimard, 2006

Théâtre

Le Déclic du destin, Leméac, 1989
Leçon d'anatomie, Laterna Magica, 1992 ; Lansman, 2003
The Dragonfly of Chicoutimi, Les Herbes Rouges, 1996 ; 2005 ;
    2011
Le Génie de la rue Drolet, Lansman, 1997
Ogre. Cornemuse, Lansman, 1997
Les Mains bleues, Lansman, 1998
Téléroman, Lansman, 1999
Le Ventriloque, Lansman, 2000 ; 2004 ; 2012
Panda Panda, Lansman, 2004
L'Histoire d'un cœur, Lansman, 2006
Le Problème avec moi, Lansman, 2007
Abraham Lincoln va au théâtre, Lansman, 2008
L'Amour à trois, Lansman, 2010
Cantate de guerre, Lansman, 2011
L'Enfant matière, Lansman, 2012

Poésie

La Place des yeux, Trois, 1989
Gare à l'aube, Noroît, 1992
Trois secondes où la Seine n'a pas coulé, Noroît, 2001
L'Arbre chorégraphe, Noroît, 2009
158 fragments d'un Francis Bacon explosé, Noroît, 2012

Essai

Le Crâne des théâtres. Essais sur les corps de l'acteur, Leméac,
1993
The Dragonfly of Bombay (avec Laurent Lalanne et Jessie
    Mill), Lansman, 2011

Sur son œuvre théâtrale

Le Corps déjoué. Figures du théâtre de Larry Tremblay. Sous la
    direction de Gilbert David. Lansman, 2008

Larry Tremblay

Le Christ obèse

Alto

Les Éditions Alto remercient de leur soutien financier
le Conseil des Arts du Canada et la Société de développement
des entreprises culturelles du Québec (SODEC).

Les Éditions Alto reconnaissent l'aide financière du gouvernement
du Canada par l'entremise du Fonds du livre du Canada
pour leurs activités d'édition.

Gouvernement du Québec – Programme de crédit d'impôt
pour l'édition de livres – Gestion SODEC.

Illustration de la couverture : Lino

ISBN : 978-2-89694-161-2
© Éditions Alto, 2013

Pour Claude Poissant

L'envie de prier n'a rien à voir avec la foi.

— Cioran

LA CHOSE

La flèche allait me transpercer la nuque. J'avais beau courir en tous sens, dévaler des chemins abrupts, enjamber des fossés, grimper des collines, elle devinait mes déplacements, me pourchassait comme une bête aux abois. Je n'avais aucune chance de m'en sortir. Résigné, je cessai de courir et, droit comme un arbre, attendis le coup fatal.

Un bruit sec me sauva.

Je mis quelques instants à réaliser que je m'étais assoupi sur la tombe de ma mère. J'avais dormi longtemps. Le cimetière à présent était plongé dans la nuit. Il pleuvait doucement, une pluie plus chaude que l'air ambiant. Je n'étais plus seul, j'entendais des éclats de voix tout près. Intrigué, je me faufilai comme une ombre entre les tombeaux et les bosquets. Je gagnai une petite butte d'où j'aperçus un groupe d'hommes. Ils riaient et criaient des mots que je n'arrivais pas à distinguer. Leurs silhouettes se détachaient vaguement dans la lueur bleuâtre de la lune. Quatre hommes dans la vingtaine, plus jeunes peut-être. Ils étaient penchés sur une chose qu'ils frappaient avec leurs pieds. J'ai pensé qu'ils venaient de s'extirper d'une fosse, les associant dans mon esprit aux quatre cavaliers de l'Apocalypse. Je me rapprochai pour mieux voir. Ils étaient vêtus d'uniformes, portaient des casquettes. Leurs rires se sont espacés avant d'être avalés par un silence troublant. L'un des quatre hommes a porté une bouteille à ses lèvres. Il a bu un coup, puis a lancé la bouteille dans ma direction. J'ai cru qu'il m'avait aperçu. Je me suis aussitôt enfui, rampant comme un animal au point de m'écorcher les genoux, en proie à une panique incontrôlable. Je tremblais, claquais des dents. À bout de forces, je m'écroulai près du tombeau de ma mère, n'osant plus remuer un doigt. J'attendis un long moment. La pluie avait cessé. Une légère brume flottait. L'haleine des morts s'échappait du sol, puante et froide.

Je tendis l'oreille. Rien. Je ne percevais que le bruissement des ormes qui encerclaient une partie du cimetière. Rassuré, je retournai vers l'endroit où j'avais aperçu les quatre hommes. Ils n'étaient plus là. J'en étais à présent convaincu : celui qui avait jeté la bouteille l'avait fait simplement pour s'en débarrasser. C'était par pur hasard qu'il l'avait lancée dans ma direction. Je me rapprochai de la chose qu'ils avaient frappée avec leurs bottes. C'était une jeune fille. Une jeune fille qui avait sûrement été charmante. Même dans cette situation pénible, je ne pouvais m'empêcher d'associer à l'image d'une jeune fille le fait qu'elle devait être charmante.

Son visage était ensanglanté. En la soulevant, je remarquai une longue branche qui sortait de dessous sa robe. Je tirai dessus, la lançai vers le ciel de toutes mes forces. Cette pauvre fille avait subi les pires outrages.

Je m'enfuis du cimetière, la jeune fille dans les bras. J'avais peur que les quatre cavaliers de l'Apocalypse ne surgissent de la nuit et ne me fassent subir à mon tour des tourments inavouables. Quand j'aperçus le portail d'entrée avec sa haute grille de fer forgé, je repris enfin mon souffle. J'entendais au loin le bruit sourd de la ville, sa respiration mouillée. Cela suffit à me calmer. Je me dirigeai vers mon auto. J'ouvris le coffre et y jetai le corps.

Je traversai la ville, rassuré de reconnaître les rues, les enseignes lumineuses, les vitrines éclairées. Il fallait ne plus penser à la branche, me concentrer sur le volant, sur la lumière des phares, sur ce que j'allais découvrir.

Avec une assurance étonnante dans les circonstances, je garai l'auto sous les branches du chêne qui ensevelissait sous son ombre la maison de ma mère. Il devait être plus de minuit. La pluie avait nettoyé l'air de ses lourdeurs. Je jetai un coup d'œil autour de moi. Personne. J'apercevais au loin les lumières de la ville et, en contrebas, le halo des lampadaires dans lequel je distinguais le vol suicidaire d'insectes, tourbillons de vie courant à leur perte. La maison de ma mère était la dernière construite sur une petite colline, et les voisins les plus proches se trouvaient à plus d'une dizaine de mètres. Je ne vis personne, et le contraire m'aurait étonné. Ce quartier était peu fréquenté. Je vivais isolé.

Je me plantai devant le coffre de l'auto, sans pensées, sans mots, savourant ma solitude. Je restai immobile un long moment. Puis j'ouvris le coffre. Une odeur m'assaillit. La jeune fille... Quel désastre ! Sa robe, ses jambes étaient souillées d'excréments. J'ouvris la grille du jardin, courus dans l'allée et ne pus me retenir plus longtemps : je vomis dans les acacias de maman. Affolé comme un enfant pris en faute, je me réfugiai dans la maison, refermai violemment la porte derrière moi, montai à l'étage et me couchai sans prendre la peine de me déshabiller.

LA BÊTE

Une simple odeur m'avait ébranlé. J'avais pourtant eu le courage de lui retirer cette longue branche du corps, un exploit des nerfs et du cœur qui n'était pas à la portée de tout le monde. La jeune fille, prise d'un spasme, avait alors échappé une faible plainte. À ce moment précis, je savais que je n'avais pas sous les yeux un cadavre mais une personne dont la vie était en danger. Elle souffrait. La tête sous l'oreiller, au bord de l'asphyxie, je ne comprenais pas pourquoi je l'avais jetée dans le coffre comme si elle n'avait été qu'un amas de débris. Je l'avais bel et bien vue bouger, respirer… et je venais de la laisser pour morte avant de m'enfuir à cause d'une simple odeur.

Une simple odeur, celle que chaque homme transporte dans ses entrailles à chaque seconde de son existence.

Je me maudissais. Je ne ferais jamais rien de bon si, pour une fois, je n'allais pas au bout de quelque chose. Comment assumer la pitié que je ressentais pour cette pauvre fille si je n'acceptais pas les conséquences des violences qu'elle avait subies? Je repoussai mon oreiller. Je me levai du lit et jetai un coup d'œil par la fenêtre de ma chambre. La rue mouillée par la pluie scintillait par endroits. Pas une seule fenêtre éclairée chez les voisins les plus proches. Les gens de ce quartier dormaient paisiblement. Ils avaient mérité leur sommeil. Ils se reposaient de leur fatigue, de leur angoisse. Ils oubliaient leurs tracas, leurs querelles, l'interminable liste des petites et grandes choses à accomplir.

Sauf elle. Sauf moi.

Pourquoi n'avais-je pas refermé le coffre de l'auto? Je m'en rendais compte : j'avais été imprudent, stupide, comme si j'avais agi contre ma propre volonté. Parce que je ne pouvais plus me le cacher : si je ne m'étais pas précipité vers un hôpital ou un poste de police, si je n'avais pas hurlé à l'aide, si je n'avais pas appelé une ambulance et ameuté toute la ville autour de cette jeune fille agonisante, eh bien, c'est que j'avais décidé de m'en occuper moi-même.

Je serais son sauveur.

Je descendis et ouvris la porte d'entrée. Rien n'avait bougé. Personne n'avait alerté la police. Tout était encore possible. Je fis quelques pas dans l'allée. Le coffre de l'auto ouvrait sa gueule et bâillait sans aucune gêne. Des gouttes de pluie dégoulinaient de la tôle.

Je retournai sur mes pas, passai à la cuisine, arrachai la nappe de la table où je prenais mes repas, délaissant la salle à manger devenue trop grande depuis la mort de ma mère. Je ressortis avec la nappe dans les mains. Je me rapprochai du coffre de l'auto. Quelque chose bougeait là-dedans. Pas la fille, autre chose. Quelque chose qui grattait. Je me penchai lentement sur le coffre. Une bête me sauta au visage. Je reculai, tombai à la renverse et me cognai la tête contre le ciment du trottoir. Avant de m'évanouir, je vis se dessiner sous mes yeux, en lettres de sang, un vers d'Homère que j'avais lu à l'école. Un vers qui revenait souvent dans l'Iliade pour signifier que la mort venait de s'emparer d'un soldat transpercé par une lance ou décapité par le glaive de son adversaire. Un vers tout simple que je me récitais comme une prière avant de m'endormir.

Et les ténèbres descendirent sur ses yeux.

C'est là-dessus que je sombrai.

Le jour s'était levé quand je repris conscience. Le trottoir était sec, et une alouette lançait son cri dans les branches du chêne. La première chose que je reconnus fut la nappe. Elle me recouvrait en partie le corps. La tête me faisait atrocement mal. Je me traînai jusqu'au coffre de l'auto. À genoux, je jetai un coup d'œil inquiet à l'intérieur. Elle était là. C'était la première fois que je la voyais dans la lumière du jour. Son visage était enflé, déformé par les coups de ses agresseurs, sa robe rouge, déchirée par endroits. Du sang noir tachait ses bras et ses jambes. Elle n'avait plus qu'une chaussure. Je l'enveloppai comme je pus dans la nappe. Je refermai le coffre avec mon pied et entrai avec la jeune fille dans la maison. Je la déposai au milieu du salon. En me relevant, je crus que j'allais m'évanouir. J'allai m'asperger le visage d'eau dans la salle de bains du rez-de-chaussée. Je me découvris une bosse sur la tête. Je remarquai aussi une fine égratignure près de mon œil gauche. Un chat. Pas de doute. C'était un chat qui m'avait sauté au visage. Il avait été attiré par l'odeur fétide qui s'échappait du coffre. Je ne voyais pas d'autre explication.

Les chats sont des bêtes diaboliques.

LA BAIGNOIRE

Nous étions dimanche, un de ces matins où on a l'impression que la terre a oublié de tourner. Même le vent avait déserté la rue. J'habitais un quartier somnifère et suicidaire, et chaque dimanche ne faisait qu'amplifier la désolation de ce coin qui surplombait la ville avec mépris. Une bénédiction que tout cela ne se soit pas produit un lundi matin. J'étais au moins certain qu'aucun voisin ne m'avait vu entrer chez moi avec un corps enveloppé dans une nappe.

Je regardai l'heure sur ma montre ; à peine six heures. Je retournai au salon. Par la fenêtre, j'inspectai les lieux. Personne. Je montai à l'étage, ouvris la porte de la salle de bains. Celle-ci, attenante à la chambre de ma mère, était spacieuse si on la comparait à celle du rez-de-chaussée. Elle abritait une grande baignoire sur pattes. Une petite lucarne filtrait la lumière du jour. Je fis couler un bain, descendis au salon et ramenai de peine et de misère la jeune fille, que je plongeai, tout habillée, dans la baignoire. L'eau aussitôt s'alourdit de saletés au point de devenir rougeâtre. Je tirai sur la bonde, fis couler l'eau pour remplir à nouveau la baignoire. J'avais remarqué qu'une paupière de la jeune fille s'était relevée une fraction de seconde. J'étais perplexe : étais-je en train de faire la bonne chose ? La débarrasser de ses souillures m'avait semblé être une priorité. J'ouvris l'armoire où ma mère rangeait ses médicaments et les quelques produits de beauté qu'elle se permettait. Je n'avais rien jeté. Neuf mois s'étaient écoulés depuis sa mort, et tout ce qui lui avait appartenu reposait à sa place, narguant son absence définitive. Je trouvai dans l'armoire un flacon d'huile pour le bain dont je versai tout le contenu dans la baignoire. Je sortis pour ouvrir une fenêtre au bout du couloir, question qu'un peu d'air frais parvienne jusqu'à la salle de bains, dont je bloquai la porte avec un pot de fleur vide. En me retournant, je vis que la jeune fille avait disparu sous l'eau. Je me précipitai vers elle et l'agrippai par les cheveux pour la hisser à l'air libre. Je tombai sur le derrière avec une poignée de cheveux dans les mains.

Je serrais entre mes doigts une perruque!

Je me cramponnai au rebord de la baignoire. Sous l'eau, un autre visage me regardait, les yeux ouverts. La jeune fille avait en fait les cheveux blonds coupés très court. Les traits de son visage, débarrassés de son imposante chevelure noire, s'étaient subitement réorganisés. Ses yeux étaient d'un vert étincelant. J'avais l'impression qu'ils me fixaient. Ses lèvres s'entrouvrirent, et trois bulles d'air s'en échappèrent. Je sortis de ma fascination et rattrapai la jeune fille. Je l'étendis sur le plancher. Ses blessures saignaient encore. Sa poitrine se soulevait de façon plus visible. J'entendais avec netteté sa respiration. Une émotion jusque-là inconnue s'empara de moi. Un frisson. Tout, absolument tout, dépendait de moi. J'étais responsable d'une vie.

LE TÉLÉPHONE

Maman aurait su quoi faire, elle avait été infirmière dans un service d'urgences. Elle savait s'occuper des gens affaiblis et malades. Elle avait soigné avec acharnement mes rhumes, mes fièvres, mes angoisses. Les plaies, les cicatrices, les pansements n'avaient pas de secret pour elle. Maman aurait su quoi faire, sans hésitation, avec cette jeune fille.

J'épongeai le sang de ses blessures, surtout une large entaille sur sa cuisse droite. Un bout de chair était relevé. J'improvisai un pansement. Je la retournai sur le ventre. Je voulus découper sa robe avec une paire de ciseaux mais le tissu mouillé résistait. Je réussis à la déchirer jusqu'au bas de son dos. Je ne m'étais pas trompé au cimetière : ses sous-vêtements étaient déchirés. Des bouts d'écorce collaient encore au tissu imbibé de sang. Je descendis à la cuisine, ouvris le frigo et bus à même le carton une gorgée de lait. Finalement, je vidai tout le carton, m'assis sur ma chaise habituelle, celle qui faisait face à la chaise de maman, et fondis en larmes.

J'étais paralysé. Je fixais le téléphone posé sur le comptoir de la cuisine. J'avais toujours répété à maman que c'était un mauvais endroit pour un téléphone. J'avais beau lui expliquer que le téléphone, là où elle l'avait placé, encombrait le comptoir, surtout quand nous faisions la vaisselle, elle n'en faisait qu'à sa tête. En plus, ce n'était pas hygiénique, le combiné était éclaboussé d'eau dès qu'on ouvrait le robinet, parce que ce damné robinet avait besoin d'être réparé. Selon mon point de vue, qui sans être celui d'un expert me semblait relever du gros bon sens, un téléphone ne devait pas être exposé à l'humidité, ça ne pouvait que le détraquer. Ma mère n'écoutait pas en général ce genre de remarque de ma part. Elle était convaincue que je ne possédais aucun sens pratique. Elle me rétorquait que s'il y avait dans cette maison quelque chose qui se détraquait, c'était bien ma tête et les réflexions qu'elle produisait. Depuis sa mort, le téléphone n'avait sonné qu'à de rares occasions. Pas une seconde je n'avais pensé à le changer de place.

L'idée d'appeler à l'aide me tenaillait. Je ne voyais pas comment je pourrais m'en sortir seul. Cette vie inconnue qui m'attendait là-haut sur le plancher de la salle de bains, ces yeux verts, comment pourrais-je m'occuper d'eux? J'avais déjà de la difficulté à m'occuper de moi-même. Ouvrir les yeux le matin et constater que c'était moi, encore moi qui les ouvrais et non un autre, n'importe qui d'autre, même un chien, replongeait mon corps mal réveillé dans une torpeur qui ne me quittait qu'en fin d'après-midi. Comme si mon âme ne pouvait s'allumer qu'au moment où le soleil s'éteignait. Et voilà qu'en ce dimanche matin, dans la lumière fatiguée de septembre qui tombait de la fenêtre de la cuisine, j'étais confronté à cette réalité : une jeune fille gisait inconsciente dans la salle de bains de ma mère, victime de la sauvagerie des hommes.

Je sortis finalement de ma léthargie, m'emparai du téléphone, le débranchai et allai le rebrancher dans le salon. Je remontai à l'étage. Dès que j'aperçus le cadre de la porte de la salle de bains, le souffle me manqua. La jeune fille n'était plus là.

LE PETIT ANIMAL

La porte était légèrement entrebâillée. Je passai la tête dans l'ouverture. Je scrutai mon lit : se trouvait-elle sous les couvertures que j'avais laissées pêle-mêle la veille ? Je fis un pas à l'intérieur de ma chambre. Si c'était un piège ? Si elle avait une arme et n'attendait que le moment où je soulèverais les couvertures pour s'en servir contre moi ? Mais où aurait-elle pu dénicher une arme, et pourquoi me voudrait-elle du mal ? Après tout, je ne faisais pas partie de ses agresseurs. Je soulevai les couvertures : pas de jeune fille. J'ouvris le placard où je rangeais mes vêtements : pas de jeune fille. Je regardai sous le lit : pas de jeune fille. Je sortis de la chambre et glissai mon regard jusqu'à l'entrée de la salle de bains : pas de traces de sang. Je voulus me rendre dans la chambre de maman mais mon attention fut attirée par quelque chose. D'où je me tenais j'apercevais un petit animal dans la salle de bains. Il ne bougeait pas. Peut-être avait-il peur autant que moi. J'avais lu que certains animaux, lorsqu'ils flairent la présence d'un ennemi, s'immobilisent complètement. J'avais moi-même observé à plusieurs reprises cette technique douteuse de camouflage avec les écureuils qui pullulent dans le quartier. Au lieu de déguerpir, ils se figent bêtement, croyant que leur absence de mouvement les rend invisibles. J'enlevai une de mes bottes, la lançai dans la salle de bains. Le petit animal ne broncha pas. Je fis deux pas de plus et j'explosai d'un rire sonore. Cet animal n'était rien d'autre que la perruque qu'avait portée la jeune fille. J'allai la ramasser pour m'en assurer, comme si je ne faisais plus confiance ni à mon esprit ni à ma perception. Aussitôt dans la salle de bains, je cessai de rire. La jeune fille se trouvait là. Elle avait simplement roulé sur elle-même jusqu'au mur opposé à la baignoire.

Je la portai dans la chambre de ma mère. Je n'eus qu'à ouvrir avec mon pied la porte qui communiquait avec la salle de bains. Maman s'était payé le luxe de cette porte. Pour cela, elle s'était résignée à se passer de la douche, à la place de laquelle des ouvriers avaient installé une porte sans poignée qu'il suffisait de pousser pour qu'elle s'ouvre d'un côté comme de l'autre. Cette innovation avait provoqué entre ma mère et moi une violente querelle. Elle s'était mise dans la tête qu'avoir dans sa chambre une porte communiquant directement avec la salle de bains constituait une nécessité quasi morale. Elle ne tenait absolument pas compte de mes arguments en faveur de la douche. Elle avait déclaré une fois pour toutes que le bain était supérieur. J'avais capitulé.

J'avais déposé la jeune fille sur le lit. Pour la première fois, je lui parlai. Je lui demandai son nom, elle ne me répondit pas. Je la touchai, elle ne réagit pas. Au-dessus du lit de maman trônait un crucifix. Je le décrochai du mur. J'ouvris un tiroir de la commode où était rangée la literie et le fis disparaître sous une pile de draps.

LA ROBE

J'observais son corps sur le couvre-lit de satin rose. Sa robe mouillée lui moulait la poitrine et s'était ramassée sur le haut de ses cuisses. Je pensais au sexe. À ce qu'il provoque. J'avais raison de m'en méfier. Je m'en méfiais depuis que je savais qu'il existait. Je me méfiais aussi de la nature. Dans cette ville ensevelie sous la neige plusieurs mois par année, l'arrivée du printemps ne manquait jamais de déclencher une hystérie végétale. Les fleurs perçaient avec rage la terre encore gelée et, en un jour, lançaient leurs couleurs et leurs parfums à la face du ciel. Les bourgeons éclataient aux branches. Les arbres se paraient de feuilles le temps d'une promenade. J'étouffais dans ce débordement de sève, dans l'éclat de ce printemps trop bref et suicidaire. J'avais encore plus en horreur l'été, saison où la libido triomphait outrageusement. Dès que la température montait de quelques degrés, les gens s'habillaient ou plutôt se déshabillaient à la limite de la décence et offraient aux yeux du plus grand nombre leur corps rendu laiteux par l'hiver. Ils se retrouvaient agglutinés aux terrasses des cafés, la peau déjà brunie par le soleil, recouverts de sueur, s'exhibant les uns aux autres comme des morceaux de viande étalés en plein jour. Les plus jeunes comme les plus âgés participaient à cette frénésie hormonale, carnaval grotesque où pas la moindre parcelle de bonté, d'amour, de compassion, d'authentique beauté n'avait la chance de s'épanouir. J'aurais craché sur cette population en short, en t-shirt déchiré et en jupe laissant voir la région pubienne de leur propriétaire. Je comptais les jours qui me séparaient de l'automne. J'accueillais le rougeoiement des feuilles comme une délivrance, leur chute comme un apaisement.

J'étais un enfant de novembre. Un mois que les gens détestent. Ils ne supportent pas sa gravité, son dénuement, ses paysages gris et sobres. Ils ne comprennent pas la beauté intérieure de ce mois, ils ne peuvent pas la soupçonner.

Oui, j'étais né en novembre… et mon père était mort en novembre, précisément le jour de ma naissance. Quand elle avait ressenti les premières contractions, ma mère avait appelé un taxi au lieu d'appeler son mari, qui travaillait dans un édifice gouvernemental en banlieue nord. Elle s'en était voulu toute sa vie. Mon père s'était tué en auto en se rendant à l'hôpital. L'accouchement avait été pénible. Ma mère avait subi une césarienne sous anesthésie. À son réveil, on lui avait annoncé la mort de son mari, puis on m'avait déposé sur son ventre. Ça s'était passé comme ça, ma mère me l'avait souvent répété. Impossible de penser que ce n'était pas la vérité.

Ma mère ayant bénéficié d'un montant d'argent substantiel de l'assurance, l'accident l'avait mise pour un temps à l'abri des soucis financiers. Puis, au fil des ans, elle avait dû reprendre du service comme infirmière, profession qu'elle avait occupée quelques années avant de se marier. Sans l'argent de l'assurance, ma mère n'aurait pas pu garder la maison qu'elle et mon père avaient achetée au début de leur mariage. Maintenant, elle m'appartenait, je pouvais en faire ce que je voulais. Si l'envie m'en avait pris, j'aurais pu boucher toutes les fenêtres avec de la brique et vivre dans l'obscurité la plus totale, loin des fleurs et de l'éclat triomphant des bourgeons.

Il m'est arrivé de remercier le ciel de cet accident. Je me suis souvent imaginé, avec un sentiment d'horreur, ce qu'aurait été mon existence si mon père n'avait pas brûlé un feu rouge alors qu'un camion de déménagement traversait la ligne de sa vie à cinq heures de l'après-midi, au moment où le soleil de novembre tire sa révérence.

Maman ne s'était pas remariée. Personne d'autre n'avait dormi dans son lit. Aussi un frisson de culpabilité ralentit mon geste quand je me penchai pour déshabiller la jeune fille. Des taches sombres souillaient déjà le couvre-lit. Et l'odeur de jasmin, qui flottait toujours comme un fantôme des mois après la mort de ma mère, ne parvenait pas à masquer les relents de misère humaine que je venais de faire naître dans sa chambre.

J'eus beaucoup de difficulté à dégager les bras de la jeune fille. Les manches de sa robe lui emprisonnaient les épaules, qu'elle avait plutôt fortes. Mes manœuvres maladroites n'éveillaient chez elle aucune réaction. Couchée ainsi, plongée dans une immobilité inquiétante, elle éveillait en moi l'image ridicule, vu les circonstances, de la Belle au bois dormant. Mais ce vestige romantique s'évanouit dans un fracas quand je réussis à lui enlever sa robe et ses sous-vêtements. Comment ne m'étais-je pas aperçu plus tôt que j'avais ramené un homme à la maison?

LE CAFÉ

Je sortis dans la rue comme si le feu dévorait la maison. Après quelques pas sur le trottoir, je dus rebrousser chemin. J'étais parti sans remettre la botte que j'avais lancée dans la salle de bains. Au lieu de monter à l'étage la chercher et risquer d'apercevoir cette… chose, j'ouvris le placard du rez-de-chaussée où ma mère rangeait les balais et les produits de nettoyage. J'y avais jeté un jour mes vieux *running shoes*. Je les enfilai en vitesse et m'enfuis sans pouvoir me contrôler.

Je repris mon souffle une quinzaine de minutes plus tard. Je me trouvais à une inter-section, ne sachant trop où aller. La ville s'animait lentement. Les cloches d'une église sonnaient. Je cherchai du regard un endroit où je pourrais m'asseoir. J'aperçus l'enseigne d'un restaurant. Je repris ma course dans sa direction. Il n'ouvrait pas avant onze heures pour le brunch du dimanche. Je donnai un coup de pied dans la porte vitrée du restau-rant. Ce geste m'alarma, il ne me ressemblait pas. Je me rapprochai d'un parc. J'allai m'as-seoir sur un petit banc couvert de rosée. L'été agonisait. Du sol montait une légère vapeur. Le sang gonflait mes tempes, réveillant ma douleur à la tête. J'aurais dû me rendre à l'hôpital. Peut-être avais-je subi une commo-tion cérébrale… Je tâtai ma bosse. Elle avait grossi. J'allais mourir. Était-ce vraiment un chat qui m'avait sauté au visage? Qui était l'homme que je venais de laisser seul à la maison? Qu'est-ce que j'espérais? Qu'il allait se dissoudre de lui-même dans quelques heures, qu'à mon retour le lit de maman serait immaculé, que j'allais bientôt me réveiller et quitter ce cauchemar, encore endormi sur sa tombe? Qu'est-ce que j'avais fait?

Au bout d'une bonne heure, je finis par me calmer. Sans m'en rendre compte, je m'étais remis à marcher, revenant sur mes pas. Le restaurant aperçu plus tôt était à présent ouvert. J'hésitai longtemps avant d'entrer. J'allai m'asseoir dans un coin. Quelques clients étaient déjà attablés. Je commandai le spécial du dimanche matin : des œufs, des saucisses, des fruits, du pain grillé et beaucoup de café. J'étais affamé et mangeai avec un appétit qui m'étonna. Je fus avec la serveuse d'une politesse extrême, affichant même de la bonne humeur. Elle m'avait demandé si je voulais encore du café, j'avais acquiescé en spécifiant que le café était excellent, ce qui était faux. Le café était médiocre.

Mon repas terminé, j'observai les gens attablés. La clientèle était plutôt jeune, surtout des couples, certains avec leurs enfants. J'étais le seul à être seul. À une table voisine prenait place un couple dans la jeune vingtaine. La fille portait une robe d'été. Le garçon, dont j'apercevais le dos large, était costaud. Je l'imaginais bottant un ballon sur un terrain de sport entouré d'une foule admirative où des centaines de jeunes filles l'applaudissaient. Quand le garçon se penchait sur son assiette, je pouvais mieux voir le visage lumineux de la fille, encadré de cheveux noirs. Leur amour ne devait pas avoir plus d'une semaine ou deux, j'en étais certain. Je détectais cette passion qui émanait d'eux comme un parfum. J'avais souvent observé dans le métro ou dans la rue ces couples fraîchement formés. Ils attiraient immanquablement le regard, comme si le sentiment qui les habitait, tout neuf, ne tenant pas en place, débordait de leurs corps, imprégnait leurs vêtements, les rendant plus colorés que tous ceux qui les entouraient. Ils ne se parlaient que pour mieux rapprocher leurs visages et transformer leurs paroles en baisers. Leurs mains se touchaient sans cesse. Si elles s'éloignaient, c'était pour se retrouver quelques instants plus tard avec plus de voracité. Les amoureux m'attiraient et me répugnaient.

En payant l'addition, je jetai un dernier coup d'œil au couple qui me faisait face. Le garçon caressait la joue de la jeune fille avec une délicatesse étonnante. Ses doigts étaient gros, son geste petit. Leurs jambes se touchaient. La jeune fille regardait son amoureux comme si rien autour de lui n'existait, comme si toute sa vie était absorbée par cette caresse, suspendue au bout de ces doigts lourds. Je ressentis soudain un énorme soulagement : je ne serai jamais comme eux. Je ne caresserais jamais avec mes doigts les joues d'une femme aimée. En ce dimanche matin ensoleillé, l'évidence de cette pensée me toucha au cœur. Loin de m'attrister, elle me remplit d'une force nouvelle. Il n'était plus question que je me comporte comme un adolescent attardé.

Je ne serais jamais comme eux parce que j'étais ce que j'étais, et personne dans ce restaurant ne pouvait soupçonner quelle sorte d'homme j'étais. Personne ne pouvait soupçonner ce que j'avais accompli la veille. Personne d'autre que moi n'aurait fait ce que j'avais fait. Ils ne connaissaient pas cet homme chauve qui avait mangé paisiblement, attablé près d'eux. Ils ne connaîtraient jamais cet homme.

Je refermai la porte du restaurant décidé à aller au bout de ce que j'avais commencé.

Une demi-heure plus tard, j'étais de retour
dans mon quartier. Dès que j'aperçus mon
auto garée sous les branches gigantesques
du chêne, je ralentis le pas, essayant de
paraître normal. Une femme promenait son
bébé dans une poussette. Elle avait l'air sou-
cieuse, son enfant était peut-être malade.
Devais-je lui sourire? Je la laissai me dépas-
ser avant de rejoindre mon auto. Je me penchai discrètement sur le coffre fermé pour le
sentir. Des effluves âcres s'en dégageaient. Il
fallait le nettoyer avant que l'odeur de merde
n'imprègne toute l'auto. J'entrai dans la maison, ramassai la nappe avec laquelle j'avais
enveloppé le corps de la fausse jeune fille.
Elle était horriblement sale. Je la roulai en
boule, la fourrai dans un sac en plastique que
je jetai aux poubelles. Je retournai au salon
pour vérifier si la nappe n'avait pas souillé
le tapis. Il venait du Cachemire. Mon grand-
père paternel l'avait rapporté d'un voyage
aux Indes. Je me mis à quatre pattes pour
l'examiner. Deux taches. Ce tapis avait de la
valeur et constituait l'unique héritage que
mon père avait reçu du sien. Ma mère en
avait hérité. Je l'avais toujours vu dans notre
salon. Plein d'histoires plus fausses que
vraies couraient autour de ce tapis, surtout
autour de son premier propriétaire. Mon
grand-père avait vécu dans les grottes de
l'Himalaya, échappé à la morsure d'un cobra
et même participé à une chasse au tigre. Son
tapis m'avait raconté un monde différent du

mien. Enfant, je passais des heures à rêvasser devant ses arabesques, dessins entrelacés où je reconnaissais un jour une scène de chasse, le lendemain une jungle remplie de dangers ou la carte secrète d'un monde mystérieux. Je m'arrachais du salon et quittais la tristesse de mon enfance sur ce tapis volant.

Je revins de la cuisine avec un linge mouillé. Je frottai les deux taches. Le sang séché pâlit mais pas assez. Je retournai chercher une petite brosse que ma mère utilisait pour récurer les casseroles. À force de frotter, je réussis à faire disparaître les taches complètement. Je lavai sous l'eau du robinet la brosse avec du savon à vaisselle, puis montai à l'étage. Dans l'escalier, j'entendais mon cœur battre. J'avais cru le tromper en retardant le moment où je retournerais là-haut. Mais le cœur est un animal inquiet, toujours sur ses gardes, pire qu'un chien paranoïaque.

J'allai d'abord dans la salle de bains. L'eau de la baignoire avait pris une teinte dégoûtante. Il allait falloir la nettoyer au plus vite. Je me regardai dans le miroir. J'examinai la griffure près de mon œil, ça ne pouvait être qu'un chat, sinon quoi d'autre? Je me saluai de la main. Je me dis bonjour, je me demandai comment j'allais. Je me répondis que j'allais bien, que tout allait bien se passer, que j'étais un homme mature, un homme décidé. Mon deuil était périmé, le souvenir de ma mère se décolorait.

Je poussai la porte attenante à la chambre de mère.

Le… garçon n'avait pas bougé. Sa bouche était exagérément ouverte, sa respiration, irrégulière. La robe rouge traînait au pied du lit comme un tas de chiffon sale. Je descendis à la cuisine avec la robe et la flanquai dans un sac en plastique. J'en avais une bonne provision. Ma mère avait toujours insisté pour les garder. Elle n'aimait pas jeter. La maison était bourrée de bocaux vides, de bouteilles de toutes sortes, de boîtes. Elle allait jusqu'à plier les sacs d'épicerie pour les ranger dans une boîte de carton qu'elle avait placée sous l'évier.

J'allai dans la cour arrière, jetai le sac dans la poubelle. Je remontai à la chambre avec une serviette mouillée. J'humectai les lèvres du garçon, épongeai son front. Je remarquai pour la première fois une large blessure sur sa tête. Elle ne saignait pas. Une croûte épaisse s'était déjà formée. Il avait sûrement reçu un violent coup de botte à cet endroit. Ses doigts étaient éraflés. Certains ongles étaient cassés, encore noircis de terre. L'un d'eux était retourné. Il avait dû ramper avec l'énergie du désespoir pour échapper à ses agresseurs. Je ne pouvais plus me fermer les yeux ni m'enfuir de nouveau : la tâche s'annonçait immense.

Je m'assis auprès de lui, le contemplai. Je n'avais jamais entendu un pareil silence dans cette chambre. Je connaissais très peu de silences. En fait, il n'y avait que le silence de ma mère que je connaissais, cette façon qu'elle avait d'imposer son esprit sur le mien, de m'obliger à tuer dans l'œuf les idées qui se bousculaient derrière mon front. Il se

passait quelque chose dans ce silence qui me
torturait. Jamais je n'avais osé faire entendre
le bruit de ma peur par-dessus son silence.

Depuis que le jeune homme se trouvait
dans la chambre, j'avais le sentiment de partager un silence encore trop jeune pour que
je puisse le qualifier, un silence qui recouvrait d'un frisson le rayon de poussière tra-
versant obliquement la fenêtre. Je chuchotai
un Notre Père, puis un autre.

C'est ma mère qui avait exigé que j'ap-
prenne par cœur cette prière. Tout comme
elle avait tenu à ce que je l'accompagne à la
messe. Je lui en avais voulu de m'avoir obligé
à me comporter comme un enfant pieux jusqu'à mon adolescence. Qui, à cette époque,
pouvait réciter par cœur une prière à part
moi? Je n'avais jamais pu me sentir comme
les autres. Une seule chose m'excitait vraiment : la douleur. Je me coupais. Je le faisais
en cachette. Je portais toujours des pantalons
et des chemises à manches longues. Pendant
les grandes chaleurs de l'été, ma mère me
traitait de fou. Elle aurait voulu que j'aille me
dévergonder dans une de ces piscines publiques où les ados de mon âge urinaient dans
leurs maillots de bain, nageaient dans leur
crasse commune. Un jour, j'avais poussé plus
loin ma fascination morbide : je m'étais tran-
ché les veines. Ma mère m'avait trouvé éva-
noui en rentrant de son travail. Je m'étais
réveillé à l'hôpital où elle travaillait. La honte :
ce fut la première chose que je ressentis
quand je repris conscience. Le sentiment
d'être nu devant une foule inconnue. Ma
mère s'était précipitée dans la chambre, rele-

vant les draps de mon lit pour vérifier si le médecin ne l'avait pas induite en erreur. Il venait de lui mentionner les cicatrices que je portais sur tout le corps. Elle m'avait giflé avant de s'effondrer en pleurs. Je lui avais promis de ne plus recommencer.

Un prêtre était venu me voir pendant mon séjour à l'hôpital. Un homme âgé, aux cheveux rares et gris sale. Il lui manquait des dents, ça m'avait dégoûté. Assis sur la chaise posée en biais près de mon lit, il respirait bruyamment. Il m'avait demandé s'il pouvait réciter une prière pour moi. J'avais senti son haleine fétide. Je n'avais rien répondu et fermé les yeux pour le faire disparaître au plus vite. C'était une espèce d'aumônier qui tanguait entre les lits en quête d'âmes sur le point de quitter leur corps. Son apparition auprès d'un malade devait susciter la crainte de la mort, voire la provoquer plus rapidement. Je n'avais nullement l'intention de mourir dans un lit d'hôpital, dans des odeurs de désinfectant. Si je voulais le faire, je le ferais là où je voudrais bien le faire, quand je voudrais bien le faire. Je retournais ces pensées dans ma tête quand les premiers mots me parvinrent. Le prêtre n'était pas parti et il avait commencé à ânonner un Notre Père dans sa bouche puante. Je gardais les yeux fermés. De plus en plus crispé dans mon lit, j'imaginais que les mots de la prière se chargeaient de saletés, s'alourdissaient de pestilence. Je n'aurais pas été surpris, en ouvrant les yeux, d'apercevoir au pied de mon lit un amas de coquilles grises et gluantes de bave, petits cadavres de mots tombés de la bouche du prêtre. Celui-ci récidivait avec un deuxième Notre Père, puis un troisième. J'aurais pu appeler à l'aide, lui crier de me laisser tranquille, mais quelque chose en moi — une raideur installée derrière mes muscles — lâcha. Comme si de l'eau coulait le long de ma colonne vertébrale. Quand j'ouvris les yeux, le prêtre était parti.

Notre Père, qui es aux cieux, que ton nom soit sanctifié…

Je connaissais ces mots. Ils ne recelaient aucune part d'ombre, aucun pouvoir d'évocation. Et voilà que, dans ce lit d'hôpital, ils s'étaient mis à scintiller.

L'AMBULANCE

Ma mère était petite de taille, ossue, avec des veines très apparentes sur les bras. Elle marchait vite et avait toujours l'air en retard. Elle respirait par secousses, comme un animal aux aguets. Elle n'avait pas l'air heureuse. C'était pourtant une infirmière exemplaire, et les malades l'appréciaient. J'avais su tout cela quand elle-même s'était retrouvée en tant que malade au même hôpital où elle avait travaillé. À chacune de mes visites, on ne manquait jamais de me rappeler que ma mère était «quelqu'un». En plus de trente ans de carrière, elle n'avait pas commis une seule faute, ne s'était jamais plainte. Elle passait même pour une femme enjouée qui racontait à l'occasion des blagues. Comment pouvait-on aimer s'occuper de gens intubés, avoir dans le nez ces odeurs de médicaments et de corps à la dérive, supporter la lumière jaunâtre de plafonniers qui ne s'éteignent jamais, respirer l'air malsain de ces hôpitaux gigantesques que les nouvelles du soir décrètent insalubres? Ma mère était une sainte.

J'aurais dû admirer son courage, lui faire savoir que, moi, son fils, je n'aurais pas pu accomplir le dixième de ce qu'elle avait dû faire pour nous faire vivre tous les deux. Jamais je ne lui avais dit qu'elle était une femme exemplaire, une femme sacrifiée, aimée par les êtres dont elle avait pris soin avec une bonne humeur qu'elle m'avait toujours cachée. Car ma mère n'avait eu pour moi qu'un visage, celui d'une femme triste, éteinte malgré la vitalité de son corps.

Elle avait changé d'aspect de façon dramatique pendant les mois où elle avait été soignée à la maison. Sa peau n'avait plus la même teinte. Ses jambes avaient enflé, le reste de son corps avait diminué, ses yeux lui mangeaient le visage. Vers la fin, elle ne pouvait plus se lever pour aller aux toilettes. J'avais alors acheté des couches. J'avais dû le faire plusieurs fois, incommodé au début par le regard des vendeurs au point où je sentais des gouttes de sueur mouiller mes aisselles. Mais comme on s'habitue à tout, plus particulièrement à ce qui nous inspire de l'horreur et du dégoût, je finis par trouver les couches anodines, nécessaires, utiles. Ma mère en avait besoin. Elles avaient été mises en vente parce qu'on avait estimé que des gens les achèteraient. N'importe quel idiot aurait compris que ces couches seraient de plus en plus en demande compte tenu du vieillissement de la population. J'étais convaincu que le monde avait une fin, que Dieu la voulait, et que ces couches en étaient un signe avant-coureur.

Mettre une couche au jeune homme fut plus facile que je ne l'avais imaginé. J'allai chercher dans la salle de bains une serviette de plage que ma mère avait reçue d'une patiente avec, brodée dessus, une libellule. La patiente l'avait brodée elle-même. C'était donc, selon les critères de ma mère, un cadeau original. C'était aussi le premier et le dernier cadeau qu'elle avait reçu d'une patiente. Elle n'avait jamais utilisé cette serviette, la réservant pour une occasion extra-ordinaire qui ne s'était jamais présentée. Je recouvris le jeune homme avec la serviette.

Je descendis me faire un café, puis attendis jusqu'au soir, assis, immobile. Vers onze heures, j'ouvris la porte de la maison. La rue était déserte. J'entendais le grésillement électrique des lampadaires. J'aperçus quelques fenêtres encore éclairées. Aucun promeneur solitaire ni couple d'amoureux à la recherche d'un endroit discret. J'ouvris le coffre de mon auto, l'inspectai brièvement, puis retournai à la maison.

Je revins avec un seau rempli d'eau de Javel. Je m'étais muni de gants de caout-chouc. Je nettoyai le coffre. Je jetai le contenu du seau et les gants dans une bouche d'égout près de l'auto. Je rentrai, montai à l'étage, ramassai la perruque qui traînait sur le plancher de la salle de bains, la fourrai dans un sac en plastique et sortis dans la cour arrière pour la jeter à la poubelle. Je changeai d'idée tout à coup et remontai la ranger dans la commode de ma mère. Au moment où je refermais le tiroir, je sentis un regard qui courait sur mon dos comme un insecte. Je me retournai brusquement. Le jeune homme dormait ou était plongé dans un état comateux, je ne savais pas trop.

Je l'observai. Pour la première fois, je m'interrogeai sérieusement sur son état de santé. Peut-être aurait-il fallu que je le gifle, question de le sortir de sa léthargie? Mais je n'étais pas certain de cette approche, inventée sans doute par des scénaristes de films.

Ma mère ne se serait jamais permis de gifler un malade inconscient pour le ramener à lui.

Comment nourrir une personne dans son état? D'ailleurs, quel était au juste son état? Comment le savoir? Quels soins lui donner? S'il mourait, que ferais-je de lui? De son corps? Et s'il survivait?

Avant d'être paralysé par toutes ces questions, je poussai la porte attenante à la salle de bains et pris une grosse heure pour débarrasser la baignoire de ses cernes de saletés. Puis je me fis enfin couler un bain chaud. Vidé par tout ce que je venais de vivre depuis les dernières vingt-quatre heures, je fermai les yeux et glissai peu à peu dans un rêve où, de nouveau, j'étais pourchassé par une flèche. Affolé, je m'enfuyais dans une forêt marécageuse. Ma course devenait de plus en plus pénible, mes bottes s'enfonçant dans la vase. Je n'arrivais plus à me dégager, prisonnier de la boue. Je criais à l'aide. Une femme tentait de venir à mon secours mais trop tard. Dégoûté comme si je venais de tremper dans l'eau souillée du jeune homme, je m'éjectai du bain. Je m'essuyai, allai dans ma chambre, enfilai un pyjama en flanelle que je portais quand le thermomètre descendait sous zéro, m'enroulai dans mes couvertures, savourant la douceur pelucheuse du tissu sur ma peau.

Je n'arrivais pourtant plus à dormir. J'étais encore habité par mon rêve. La femme venue à mon secours me rappelait l'infirmière qui avait soigné ma mère à la maison avant son hospitalisation. Dès que je l'avais vue, j'avais ressenti quelque chose comme de l'affection pour elle. Josiane Gravel n'était pas belle. Au fil des jours, je l'avais observée à la dérobée en essayant de comprendre de quoi était faite sa laideur. Car c'était cela qui sautait aux yeux quand on l'apercevait pour la première fois. C'était du moins ce que je m'étais dit, tout en sachant fort bien qu'il devait exister dans cette ville une personne qui affirmerait que cette femme, sans être belle, était toutefois agréable. Sa laideur, en fait, me rassurait, et j'imaginais sans difficulté que j'aurais pu aimer Josiane Gravel. Je n'aurais eu que très peu d'effort à faire.

Pour la première fois de ma vie, j'avais entrevu la possibilité d'aborder une femme. Je m'étais évidemment senti coupable que ce sentiment ait vu le jour alors que ma mère luttait pour sa vie et souffrait le martyre. J'imaginais que notre mariage serait consacré tout de suite après sa mort. Je pressentais que mon deuil serait si douloureux que seul un événement comme un mariage aurait une chance de me sauver du gouffre. J'aimerais de façon absolue ma jeune épouse. Je trouverais un emploi. Je mettrais de l'ordre dans cette maison. Par ordre, j'entendais un ordre nouveau : j'abattrais des murs, changerais les fenêtres à moitié pourries, viderais la maison de ses vieilleries poussiéreuses, achèterais de nouveaux meubles. Je ferais surtout abattre le chêne qui noyait la maison dans l'ombre.

Je m'étais mis à guetter son arrivée avec un malaise grandissant. J'espérais avoir le courage de l'approcher et de lui faire comprendre mes intentions. Elle était distante avec moi et, aussitôt entrée, se précipitait dans la chambre de ma mère. J'aimais bien sûr cette réserve. Ce n'était pas une femme facile d'approche. Cela me prouvait qu'elle n'était pas comme toutes les autres. Aussi le jour où elle m'annonça que ma mère devait être hospitalisée d'urgence, je fus submergé par l'émotion la plus intense de ma vie. Même le désespoir glacial qui m'avait amené un jour à me trancher les veines ne m'avait pas autant secoué. Je dus m'asseoir, ce qui impressionna l'infirmière, qui m'apporta aussitôt un verre d'eau et posa une main sur mon épaule. Je bus l'eau.

Josiane Gravel m'expliqua que les jours de ma mère étaient comptés. Elle souffrait inutilement. À l'hôpital, elle profiterait de soins palliatifs qui diminueraient ses douleurs. En fait, ma mère aurait dû être hospitalisée depuis longtemps mais elle s'était rebiffée à cette idée. Je la comprenais. Elle connaissait les rituels et les affres, les angoisses et les cauchemars d'une agonie prolongée artificiellement au nom de la compassion En travaillant auprès des malades depuis tant d'années, elle avait été mieux en mesure d'apprécier la distance qui séparait un être en santé d'un autre que la mort avait déjà contaminé.

Au moment où Josiane Gravel avait posé sa main sur mon épaule, j'avais compris que c'était maintenant ou jamais. La bouche sèche, je parvins à lui dire que j'aimerais l'épouser le plus vite possible, dès que ma mère, en fait, aurait succombé à sa maladie.

Elle me regarda, pensive.

J'avais cru qu'elle allait acquiescer à ma demande. Mon cœur bondit dans ma poitrine. Mais elle recula, paraissant tout à coup interloquée. Elle bougeait la tête de gauche à droite avec des petits mouvements mécaniques. Je me levai pour la prendre dans mes bras. Elle me gifla. Elle s'excusa aussitôt. Je répétai ma demande, ma voix tremblait. Josiane Gravel me regarda alors avec tant de mépris que ses crachats m'auraient fait moins mal. Sa laideur, à laquelle je m'étais habitué et qui, au fil des jours, m'avait fait ressentir pour elle de la pitié mais aussi de la sympathie qui, je l'avais espéré, se serait transformée en une affection profonde, cette laideur tant aimée soudain me fit horreur.

Avant de retourner auprès de ma mère, elle m'avait crié qu'elle avait déjà un fiancé. C'était pure méchanceté de sa part. Avait-elle deviné qu'il n'y avait pas meilleure façon de me blesser ? Je maudissais cette femme qui se vantait de s'accoupler à un fiancé et qui, d'un rire à peine déguisé, me rejetait comme si je n'étais pas digne de poser sur elle un simple regard. Quand l'ambulance vint chercher ma mère, je la revis une dernière fois. Je remarquai alors qu'elle se teignait les cheveux. Une repousse plus sombre trahissait leur blondeur à présent douteuse.

Pendant que j'accompagnais ma mère dans l'ambulance, je m'étonnais de la fragilité des sentiments et de leur potentiel dangereux. Cette femme avec qui j'avais pensé partager ma vie il y avait à peine quelques instants, cette même femme me levait maintenant le cœur. Et j'en avais honte. C'était moi qui étais laid, pas elle.

Des bruits sourds me réveillèrent. D'affreux grognements. On aurait dit les râles d'une bête satanique. J'avais beau me dire qu'il était inoffensif, trop faible pour me faire du mal, me répéter qu'il avait surtout besoin d'aide, je me cachai comme un petit garçon sous mes couvertures. C'est à peine si j'osais respirer.

Qui était cet homme que j'avais ramené à la maison, travesti en femme ? Cette question résonnait au milieu de la nuit comme une alarme. J'aurais dû l'attacher.

Au bout d'un long moment, les bruits cessèrent. J'allumai ma lampe de chevet, cherchant du regard quelque chose qui pourrait me servir d'arme. Une réplique miniature de la tour Eiffel accumulait la poussière, posée sur la commode face à mon lit. Je me levai, soupesai le bibelot. Il était assez lourd malgré sa petitesse. Un bon coup sur la tête. Oui. Ça pourrait faire l'affaire. Ce stupide objet servirait enfin à quelque chose.

Sur la pointe des pieds, je pénétrai dans la chambre de ma mère. Une lueur bleutée zébrait le corps de l'homme. La serviette de plage traînait sur le plancher. La tour Eiffel bien serrée dans la main, j'allumai le plafonnier. L'homme réagit : il ouvrit la bouche comme s'il voulait me dire quelque chose mais s'évanouit aussitôt après. Je m'approchai de lui, prêt à l'assommer. J'attendis un long moment. Pas le moindre mouvement, pas le plus petit grognement. Comment être certain qu'il ne jouait pas la comédie?

Je retournai dans ma chambre, ouvris la penderie, m'emparai de quatre cravates et m'empressai d'aller attacher ses bras et ses jambes aux coins du lit. Son corps en croix n'avait plus aucun tonus. Rassuré, je touchai son front. Il était brûlant. Un signe positif : son corps combattait. Je le recouvris de la serviette de plage et allai me recoucher.

Je ne me rendormis pas tout de suite. J'avais replacé la tour Eiffel miniature sur la commode et la regardais bêtement. Je me rappelais avoir détesté ce bibelot dès que je l'avais sorti de son emballage. Je m'étais tordu le visage pour sourire à ma mère qui venait de m'en faire cadeau. Qu'elle m'ait offert cette chose me prouvait à quel point elle ne me connaissait pas, à quel point elle et moi formions un couple dangereux qui se faisait du mal en pensant se faire du bien. Elle m'avait rapporté ce souvenir de l'unique voyage qu'elle s'était permis dans sa vie. Partie une semaine avec un groupe d'infirmières, elle avait visité Paris, bien sûr, mais aussi Rome et Venise. Elle en était revenue exténuée mais ravie. Je ne l'avais jamais vue aussi loquace. Sa visite de la basilique Saint-Pierre de Rome avait été le point culminant de son voyage. Elle avait respiré le même air que le pape, s'était-elle exclamée, encore émue, et avait même touché le tombeau de Jean XXIII dans les cryptes du Vatican. Mais elle avait surtout été bouleversée par la visite d'une petite église où était exposé le corps d'une béatifiée. Elle avait remarqué son cercueil de verre sous la voûte d'une chapelle. La jeune femme reposait dans ses vêtements religieux. Elle était belle comme une fleur coupée. Ma mère ne comprenait pas comment un cadavre avait pu demeurer si beau, si intelligent, si attirant aussi longtemps. La mort de la religieuse remontait à plus d'un siècle. Avec des larmes dans la voix, ma mère m'avait alors raconté avoir assisté à un véritable miracle. Le corps de la béatifiée s'était mis à scintiller. Le phénomène avait duré à peine quelques secondes, un peu comme une ampoule qui, avant de s'éteindre pour de bon, émet un surplus de lumière.

Cette histoire de béatifiée m'avait d'abord remué, puis franchement énervé. J'avais attendu ma mère pendant une semaine en la maudissant de m'avoir laissé seul. Je n'étais pourtant plus un enfant, je pouvais très bien m'occuper de la maison et de ma propre personne. Ma mère m'avait patiemment expliqué que ce voyage avait été organisé pour des infirmières et qu'aucune d'entre elles n'emmènerait ses enfants. Mais je n'avais pu la voir partir avec ses valises sans lui souhaiter tous les malheurs de la terre. Je m'étais calmé quelques jours plus tard en me taxant d'une multitude de défauts, m'enfonçant un clou dans la cuisse pour me punir. À son retour, quand elle me fit part de son émotion devant ce cercueil de verre, quelque chose se noua dans mon estomac. J'en voulais à ma mère de m'avoir oublié au profit d'une morte lointaine, étrangère, superflue, une morte qui ne se décomposait pas, une morte éternelle. Avec le recul, ma réaction m'était apparue infantile mais je n'en avais pas moins souffert. Ma détresse avait été à ce point profonde que c'est quelques jours après son retour que j'avais fait ma pitoyable tentative de suicide. La tour Eiffel miniature avait longtemps été associée dans mon esprit à cette période trouble de ma vie. Garder bien en vue sur ma commode ce bibelot haï avait constitué une forme sophistiquée de punition qui, depuis, avait perdu tout son sens.

LA FORMULE

Je me réveillai sur le coup de midi. J'avais toujours eu de la difficulté à sortir de mon lit le matin. Ce n'était pas par paresse. Chaque jour qui commençait me donnait mal au ventre. Je ne connaissais pas cet appétit de la vie qui, paraît-il, résonne dans les chants matinaux des oiseaux et éclate dans des rideaux inondés de soleil. Il n'était pas rare, surtout depuis la mort de ma mère, que je me lève très tard. Mais ce matin-là, quelqu'un avait besoin de moi et j'aurais dû me lever plus tôt. Je me précipitai dans la chambre de ma mère.

Quand je l'aperçus dans la lumière du jour, j'eus un choc. Son visage, plus enflé que la veille, était devenu bleu. D'impressionnantes ecchymoses tachaient de jaune et de noir son corps.

Je ne comprenais pas ce qui se passait. J'aurais souhaité posséder les lumières de ma mère. Je descendis au salon fouiller dans son encyclopédie médicale, rangée avec des livres de cuisine et les romans d'une collection à laquelle elle s'était abonnée. Après un quart d'heure à chercher une explication, je dus me rendre à l'évidence : je ne trouverais pas dans ce livre le cas d'un jeune homme tabassé par quatre cavaliers de l'Apocalypse et embroché avec une longue branche. Je refermai l'encyclopédie, dépité. Par la fenêtre du salon, je vis alors le facteur déposer une enveloppe dans la boîte aux lettres. Je recevais rarement du courrier à l'exception de factures, prospectus et circulaires de toutes sortes. Avant de récupérer l'enveloppe, comme j'étais toujours en pyjama, je vérifiai si des voisins pouvaient m'apercevoir. Une femme ramassait sur sa pelouse les premières feuilles tombées de l'automne, plutôt rares à cette période de l'année. Quand elle se pencha pour fourrer les feuilles dans un sac en plastique orange, j'en profitai pour prendre mon courrier. Mais elle avait subitement relevé la tête. J'étais mécontent. Elle m'avait vu, pas de doute. Je considérais qu'être en pyjama passé midi relevait d'un comportement suspect, suscitant des interprétations négatives.

La lettre provenait du cimetière où ma mère avait été enterrée. La direction me remerciait d'avoir fait appel à leurs services, me demandait si j'étais satisfait, me rappelait que neuf mois avaient passé depuis ce triste événement, espérait que le temps avait adouci ma peine et, finalement, me proposait un plan personnalisé comprenant messes anniversaires, fleurs, entretien particulier de la tombe avec rabais substantiels si, bien sûr, j'adhérais à cette formule exceptionnelle avant le 1er décembre !

Ce qui m'embêtait le plus dans cette offre promotionnelle concernait les messes anniversaires. Je n'avais aucun goût pour les rituels insipides et lancinants et ne voyais pas ce que ma présence à une messe apporterait de plus. Au fond, l'Église n'avait rien à voir avec l'âme de ma mère ou avec le regard de Dieu sur cette âme et son repos éternel. Je menais mes affaires avec Dieu de façon personnelle. Mes Notre Père possédaient, à mes yeux, mille fois plus d'authenticité que les sermons d'un curé.

Je déchirai la lettre avec l'impression que la dépouille de ma mère m'appartenait de moins en moins, qu'elle était entre les mains d'une institution qui la gérait comme un produit remplaçable. Fleurir sa tombe, la débarrasser de la mauvaise herbe, la déneiger pendant l'hiver, c'était peu de chose en comparaison de tout ce que ma mère avait accompli pour moi. Je n'avais pas besoin de cette offre promotionnelle pour honorer son souvenir. Je m'occuperais seul de sa tombe. Et je m'occuperais seul du jeune homme. Je trouverais le moyen de le guérir, je n'avais besoin de personne. D'ailleurs, il prenait du mieux. La teinte bleutée de son visage indiquait qu'il se passait quelque chose sous sa peau. C'était aussi simple que cela : quelque chose travaillait sans relâche pour rétablir les muscles, réparer les tissus endommagés. Le pus et la sanie dus aux déchirures, aux contusions, étaient expulsés peu à peu. Le mauvais sang allait bientôt être éliminé par les pores. Je n'avais qu'à contempler mes pauvres stigmates pour comprendre à quel point la peau sait s'occuper d'elle-même. Le jeune homme œuvrait à son rétablissement. Rassuré par cette réflexion, je retournai dans la chambre de ma mère.

LE PRÉSERVATIF

J'ouvris la fenêtre pour aérer et inspectai son visage tuméfié. Mes intuitions s'écroulèrent : non, ce jeune homme n'était pas sur la voie de la guérison. La teinte bleutée de son visage n'avait rien à voir avec les ecchymoses de son corps, rien à voir avec l'expulsion naturelle de déchets sous-cutanés. Ce jeune homme, j'en avais à présent la certitude, étouffait.

Je me penchai sur lui pour mieux écouter sa respiration, réduite à un sifflement aigu inquiétant. Lui avoir attaché les pieds et les mains avait peut-être bloqué sa circulation sanguine ? Après un rapide coup d'œil, je constatai que je n'avais pas noué les cravates trop serré. Quelque chose clochait. J'ouvris sa bouche et remarquai un amas impressionnant de salive au fond de sa gorge. Était-il en train de se noyer ? Je descendis à la cuisine chercher mes gants de caoutchouc mais, sur place, je me rappelai les avoir jetés la veille. Je remontai en catastrophe auprès de lui en hurlant un Notre Père, lui insérai l'index dans la bouche. Je fouillai comme je pus le fond de sa gorge pour la dégager de la salive, aussi épaisse que de la colle. Je m'essuyais le doigt sur la serviette de plage quand il fut pris d'un spasme suivi d'un râle. Il ouvrait la bouche de façon désespérée. Visiblement, il cherchait à respirer. J'insérai de nouveau le doigt dans sa bouche, touchai au fond de sa gorge quelque chose d'étonnamment doux.

Je formai une pince avec mon index et mon pouce, tirai sur la chose. Pendant un instant, je crus que je venais de lui extirper un morceau de sa propre chair. Puis, médusé, je réalisai que je tenais dans la main un préservatif. Je me précipitai à la salle de bains pour vomir. La tête dans la cuvette, je ne doutais plus que ce jeune homme, malgré sa déviance sexuelle, méritait toute la compassion que je n'avais jamais pu offrir à qui que ce soit. Je ne devais pas tenir compte du fait qu'il se soit travesti en femme, cause évidente de son malheur actuel. Les outrages qu'il avait subis dépassaient l'entendement. Sa souffrance m'apparaissait comme un immense champ blessé où, à perte de vue, le mal contaminait l'azur.

Deux jours plus tard, il se portait mieux.
J'avais jeté la serviette de plage, débarrassé le
lit de son couvre-lit piqué de dessins de
fleurs, couché le jeune homme dans des
draps propres, acheté un onguent antisepti-
que pour désinfecter ses plaies. Je lui fis
boire du jus de pommes. Après avoir hésité
longtemps, je pris la décision de le nourrir
avec des légumes. Je lui préparai une purée
de pommes de terre et de carottes qu'il recracha. Je tentai ma chance avec des morceaux
de fraises trempés dans du yogourt. Il en
avala quelques bonnes cuillerées. Son visage
avait perdu sa teinte bleutée et commençait à
désenfler. Je le libérai des cravates qui le
maintenaient attaché. Je n'avais aucune raison de me protéger d'une personne que je
manipulais comme une poupée inerte. Son
visage était à peu près mobile. Il ouvrait parfois les yeux, mais son regard demeurait flou.
Il dormait la plupart du temps, gémissait, se
réveillait, se rendormait. Je réussis à lui faire
avaler plus tard des céréales dans du lait
chaud.

Le choc qu'il avait subi à la tête avait sûrement laissé des séquelles. Il agitait les bras,
mais je ne l'avais jamais vu remuer les jambes. Sa position dans le lit variait très peu. Le
matin, je le retrouvais comme je l'avais laissé
la veille. Quelquefois, je croyais percevoir sur
ses lèvres l'esquisse d'un sourire. Je chassais

aussitôt cette idée. Comment aurait-il pu, dans son état et après de telles humiliations, sourire?

La nuit venue, j'ouvrais la fenêtre de ma chambre pour faire entrer l'air frais de l'automne et son odeur de terre humide. Je m'emmitouflais dans mes couvertures et demandais à Dieu de me pardonner mes manquements, mes faiblesses, ma petitesse. J'avais pris la décision de me dévouer corps et âme à ce jeune homme. Il n'avait rien à voir avec moi, je n'avais aucune raison d'agir comme je le faisais. Cette ahurissante absence de logique m'emplissait d'un sentiment d'euphorie. Je marchais dans les pas de ces personnes libérées de leur amour-propre, de leur narcissisme, de leur égoïsme.

Une fois, j'ouvris un de ses yeux. Captivé par cet œil fixe, d'un vert qui virait au jaune, j'eus la sensation de découvrir une pierre précieuse. L'œil vivait par lui-même, détaché de toute expression humaine, quand un frisson me parcourut de la tête aux pieds : il venait de me regarder. Son œil s'était animé d'une présence si dense que j'avais quitté la chambre. Le temps d'un éclair, j'avais aperçu l'âme de cet homme. Ma conscience avait plongé, au-delà du vert liquide de son œil, dans tout ce qu'il avait vécu depuis sa naissance. Comme si j'avais été en contact avec des milliers de pensées et de souvenirs qui ne m'avaient jamais appartenu, des milliers de sensations et d'émotions que je n'avais jamais ressenties. Je venais de reconnaître dans cet unique regard tant de haine que j'avais cru me goûter moi-même. Un moment d'une attirance écœurante, bref comme un coup de couteau. Cet homme n'était pas n'importe qui. Il avait commis des choses dont je devinais la fulgurance sans pour autant mettre l'ombre d'un mot sur elles.

Je n'osai plus soulever ses paupières.

Avant de me mettre au lit, ma mère me lisait des passages de la Bible. Elle savait qu'elle ne pouvait pas compter sur l'école pour mon éducation religieuse. Elle me raconta un soir l'épisode du massacre des saints Innocents : les Rois mages ayant prédit à Hérode la venue d'un nouveau roi, celui-ci ordonna qu'on tuât tous les enfants mâles de moins de deux ans dans la région de Bethléem.

Mon sommeil de petit garçon en avait été perturbé. Des images d'enfants tués par des soldats me pourchassaient. Sous mes paupières closes, des visions angoissantes se bousculaient : corps de bébés ensanglantés, transpercés par des glaives et des lances, bras et têtes coupés, lamentations des mères, ricanements des soldats. Pourquoi la naissance du Christ avait-elle nécessité la mort de milliers d'enfants ? avais-je demandé à ma mère. Elle m'avait répondu que la vie du Christ valait mille fois la vie de n'importe quel enfant. Je ne comprenais pas. Quelque temps plus tard, j'avais annoncé à ma mère que je voulais être prêtre. Je n'avais pas assez d'imagination à l'époque pour lui prouver mon amour autrement. Mais, surtout, j'étais jaloux du Christ, de sa souffrance qui valait mille fois la mienne. Je voulais souffrir mieux que Lui. Pendant longtemps, mes nuits avaient été remplies de cauchemars où je revivais sur un écran d'angoisse le sacrifice d'enfants arrachés à leur mère.

Cette période oubliée de mon enfance avait refait surface de façon inattendue à la mort de mon grand-père paternel. À ses funérailles, ma grand-mère m'offrit un livre qu'il avait écrit dans sa jeunesse. « Voilà, m'avait-elle dit, tu auras bientôt l'âge qu'il avait quand il l'a écrit. Je suis certaine qu'il aurait aimé que tu le lises. » J'embrassai ma grand-mère, que je ne revis jamais, et la quittai avec l'héritage de mon grand-père sous le bras.

C'était un journal de voyage publié à compte d'auteur. Mon grand-père l'avait tenu lors de son séjour aux Indes en 1940. Un passage surtout frappa mon imagination. Mon grand-père se trouvait à Goa, une colonie portugaise à l'époque. Il était entré dans une église d'un village côtier, désirant assister à une messe pour communier avec l'âme de sa mère, morte quelques mois avant son départ. Durant l'office, son regard avait été attiré par l'imposant crucifix qui surplombait l'autel. La douleur du Christ lui était alors apparue hideuse. « Comment avais-je pu adorer un homme supplicié, écartelé sur une croix, le visage défait et le regard implorant ? » avait-il écrit ce jour-là. La veille, il avait visité un temple hindou. Il en était sorti fortement impressionné, fasciné par l'animation festive de ce lieu sacré où des centaines de gens déambulaient autour de statues luisantes de beurre, recouvertes de pétales de fleurs. Une conviction profonde l'avait saisi : on ne pouvait pas vivre en paix avec soi-même en s'agenouillant devant l'image de faiblesse et d'abdication que représentait le Christ crucifié. Sa souffrance ne sauverait pas le monde. La souffrance était la chose la plus inutile de la création. Il valait mieux, écrivait le jeune homme qu'était alors mon grand-père, s'étourdir dans la vitalité insolite des déités hindoues. Pourquoi les dieux ne pourraient-ils pas danser, chanter, rire ?

La lecture de ce passage m'avait rappelé ma frayeur d'enfant provoquée par le récit du massacre des saints Innocents. Je donnais raison à mon grand-père : la souffrance du Christ n'était pas plus importante que la mienne. Personne ne devait souffrir et mourir pour Lui, surtout pas les enfants.

Je n'avais pas besoin du Christ, j'avais mes Notre Père.

Je l'avais appelé Jean en l'honneur de
Jean XXIII, le pape préféré de ma mère. Chaque jour, depuis un mois, je vérifiais les progrès de son rétablissement. Ses blessures
superficielles étaient pratiquement guéries.
Ses ecchymoses avaient pâli. Je mémorisais
chaque éraflure, chaque écorchure. J'allais
jusqu'à gratter ses croûtes les plus épaisses.
Pour ce genre d'opération, je portais des
gants de caoutchouc, dont j'avais racheté une
bonne provision. J'en faisais autant pour sa
toilette quotidienne. M'habituant à tolérer
cette intimité nouvelle, je finis par délaisser
les gants de caoutchouc, me désinfectant simplement les mains. Au bout d'un moment, je
ne pris même plus la peine de le faire.

Je savais que chez une personne alitée
pouvaient se former des plaies de lit. Ce n'est
pas ma mère qui me l'avait appris, je l'avais
vu dans un film à la télé : une histoire sor-
dide où une femme dérangée, pour punir
son mari qui l'avait quittée pour une autre,
rendait sa fille malade en l'empoisonnant à
petites doses. L'enfant passait des mois dans
son lit avant de mourir. Ce qui m'avait le plus
frappé dans cette histoire, c'était justement
l'expression «plaies de lit», que le médecin
légiste employait lors du procès. On accusait
la femme non seulement d'avoir empoisonné
sa propre fille, mais aussi de ne pas l'avoir
changée de position dans le lit, ce qui, aux
yeux du procureur, prouvait hors de tout

doute la perversité de l'accusée. Plus de vingt ans avaient beau s'être écoulés depuis que j'avais vu ce film, je n'avais qu'à fermer les yeux pour voir défiler à nouveau les photos de cette enfant que le procureur montrait aux jurés, photos où ces fameuses « plaies de lit » étaient clairement visibles, encerclées de rouge. Avais-je, au cours des ans, transformé ce scénario de façon grotesque ? Peut-être. Mais l'essentiel consistait dans cette attention particulière que je portais à l'expression « plaies de lit », comme si le lit lui-même souffrait, se fendant de blessures d'où s'échappaient du sang et du pus. C'est ainsi que, lorsque ma mère était tombée malade, j'avais répété à Josiane Gravel de la changer de position dans son lit afin qu'elle ne souffre pas de telles plaies. Je le lui avais répété tant de fois en si peu de temps que l'infirmière, à coup sûr exaspérée mais ne me le montrant pas, aurait eu tous les droits de penser que je perdais la tête, considérant le fait que des plaies de lit ne se forment pas du jour au lendemain, ce que j'avais appris par la suite. Me doutant que je pourrais incommoder Jean en le retournant sans cesse dans son lit comme je le faisais les premiers jours — ce qui me demandait d'ailleurs un grand effort physique —, j'avais finalement pris la peine de vérifier dans l'encyclopédie médicale ce qui se cachait derrière l'expression « plaie de lit ». La description me rassura. Une plaie de lit n'apparaissait pas si facilement, il fallait du temps. Cependant, par précaution, je décidai de changer systématiquement la position de Jean les mardis et les samedis.

Laver ses draps et ses couches sales fut pour moi une épreuve. Je me pinçais le nez, retenais mes larmes et, des heures après, ne pouvais ingurgiter la moindre nourriture. Au bout d'un certain temps, je commençai à en tirer de la fierté et une impressionnante quiétude. Ces besognes quotidiennes me rapprochaient de ma mère. N'avait-elle pas, pendant des années, posé ces mêmes gestes en tant qu'infirmière? Et n'avait-elle pas, à la fin de sa vie, dû accepter de changer de rôle, d'être lavée, changée, soignée par des mains étrangères? Je découvrais qu'accomplir les mêmes gestes qu'une personne, ne serait-ce que pendant quelques jours, nous permettait de la comprendre mieux encore que si nous avions passé toute une vie avec elle.

Profitant d'un moment où sa lucidité lui était revenue, j'avais demandé à ma mère mourante pourquoi elle avait jeté, le jour même de mes sept ans, tout ce qui avait appartenu à mon père, ne mentionnant plus jamais son nom ou son existence. J'espérais naïvement que sa réponse me redonne la vie, comme si, à ma naissance, elle avait triché, gardant dans ses entrailles ma vitalité, ne laissant sortir de son ventre qu'une coquille vide qu'elle avait appelée Edgar, un prénom dur comme un morceau de bois carbonisé. Mais elle ne me répondit jamais. Même aux derniers moments de sa vie, les yeux cernés par la douleur, intubée, les bras marqués de traces bleuâtres aux endroits où ses veines avaient éclaté sous sa peau trop mince, elle n'avait pas voulu dire la vérité à son fils, pas voulu lui confier ce que son cœur desséché gardait comme un secret douloureux. Elle avait préféré que le silence nous engloutisse tous les deux avec son dernier souffle.

Après sa mort, je fouillai la maison à la recherche d'un indice qui m'aurait fait comprendre ce qui l'avait amenée à effacer le souvenir de mon père après l'avoir entretenu pendant des années avec tant d'ardeur. Car durant toute ma petite enfance, elle avait joué son rôle de veuve en brodant pour son fils une image dorée de son mari. Je ne trouvai rien dans ses tiroirs ni dans les cartons qui pourrissaient à la cave. Je m'étais senti honteux, inspectant ses vêtements, cassant même le petit cadenas d'un coffre en bois de santal où elle avait rangé des bijoux sans valeur et des cartes postales envoyées par des patients qui lui témoignaient leur gratitude. Une partie de ma mère continuait peut-être à exister dans la chambre où elle avait tant souffert. Elle m'avait peut-être vu fouiller dans ses affaires.

Que savons-nous des morts ?

Elle était morte en janvier. Elle n'aurait pas pu choisir pire moment. Trente degrés sous zéro, la ville ensevelie sous la neige, le vent soufflait par rafales. On avait rangé sa dépouille dans un entrepôt. J'avais dû attendre le dégel du printemps pour voir son cercueil descendre dans la terre. Il n'y avait personne d'autre que moi à cette cérémonie tardive, à l'exception de deux employés du cimetière endormis et d'un prêtre marmonnant quelques phrases de réconfort.

À mon retour de l'enterrement, je montai à sa chambre, embrassai son lit où l'empreinte de son corps était toujours visible. Je lui dis adieu. Si ma mère avait encore la moindre parcelle d'existence, c'était auprès de Dieu, non dans cette chambre. Je n'étais pas pour autant libéré de mes soupçons sur l'entêtement des âmes. Quelques semaines plus tard, j'enlevai de la bibliothèque où elle trônait une photo de ma mère dans son uniforme d'infirmière. Je l'avais fait encadrer pour la lui offrir à son quarantième anniversaire. N'osant la jeter, je l'avais rangée à la cave dans un carton rempli de vieux vêtements. J'avais aussi planifié de vider ses tiroirs et ses

armoires, de tout jeter à la poubelle. Finalement, tout était demeuré à sa place. Ma mère
aurait pu revenir d'entre les morts, elle aurait
retrouvé ses affaires là où elles les avaient
rangées.

LA BARBE

Jean mangeait encore très peu, mais il acceptait plus facilement la nourriture. Pour le nourrir, je le redressais en calant derrière son dos un oreiller. Après un certain temps, sa tête retombait sur son torse, signe qu'il était épuisé. Je le remettais à l'horizontal et terminais tant bien que mal de le nourrir. Sa barbe m'était un constant souci. Elle s'imprégnait de nourriture et de liquide, m'obligeant à la nettoyer plusieurs fois par jour. J'aurais pu régler ce problème en la coupant, mais je n'arrivais pas à m'y résigner. Jean était devenu Jean avec l'apparition de sa barbe. Je la peignais et prenais du plaisir à le faire. Elle était mon œuvre. Et puis sa blondeur éclairait le visage de Jean, dissimulant la trace des coups qu'il avait reçus de ses agresseurs. J'étais étonné de lui accorder autant d'importance. Jamais un homme n'avait attiré mon regard parce qu'il portait une barbe. J'avais bien sûr connu des hommes barbus, certains professeurs, ou encore le psychologue que ma mère m'avait contraint à consulter. La plupart arboraient plutôt la moustache. Mon grand-père paternel avait porté la barbe à la fin de sa vie. Quant à moi, j'avais attendu mes vingt ans avant de voir apparaître sur mon menton quelques poils timides et d'avoir à me raser de façon hebdomadaire. C'était d'ailleurs préférable que je n'aie pas à subir chaque matin le rituel du rasage, car dès que j'avais en main un rasoir je ressentais le besoin de me couper la peau. À part les deux ou trois fois où j'avais choisi un clou, j'avais toujours utilisé une lame de rasoir pour me mutiler. Je me coupais le dessus des cuisses et des bras. Je ne l'avais jamais fait sur mon visage même si, à une époque, j'étais obsédé par le désir de me fendre les lèvres. J'imaginais cette scène où, la bouche ensanglantée, j'apparaissais dans le salon alors que ma mère, rentrée de son travail, regardait son quiz quotidien. Je ne la faisais pas hurler tout de suite. Je lui donnais le temps de se lever, de me regarder avec, dans les yeux, l'incompréhension la plus totale. Puis je prononçais le mot « maman », mot noyé aussitôt dans le sang, mot enterré aussitôt par le cri de ma mère. Mon fantasme n'allait jamais plus loin que ce cri. Je l'avais décrit un jour au psychologue qui me traitait. Je m'étais trouvé pitoyable. Cette mise en scène, déroulée devant lui sous forme de phrases et non comprimée dans l'intimité de ma conscience, m'était apparue si ridicule que jamais plus par la suite je ne fus tenté d'y revenir.

En étant confronté chaque jour à la réalité dérangeante du corps humain, à ses odeurs et à ses éclats, à ses métamorphoses et à ses secrets, je retrouvais par moments le trouble de mon adolescence. Mais une profondeur s'y ajoutait qui m'émouvait, me donnait le sentiment de ne pas avoir survécu en vain à mes obsessions, à mes idées noires. C'était Jean qui souffrait à présent. Il le faisait pour mon âme. Si je lavais ses déjections, désinfectais ses plaies, nettoyais ses draps, il prenait en charge ma déchéance, l'absorbait, la purifiait. J'en vins à ne plus pouvoir me passer des moments que je lui consacrais, au point où je dus me discipliner. Observer douze heures d'affilée une plante ne la ferait pas croître plus rapidement, aussi freinais-je mes élans et passais-je délibérément du temps au rez-de-chaussée alors que j'aurais préféré demeurer dans la chambre de Jean du matin au soir.

Quelques mois après l'enterrement de ma mère, j'avais reçu une grande enveloppe par la poste. Je m'apprêtais à l'ouvrir quand j'avais ressenti un pincement au cœur : je venais d'y lire le nom de Josiane Gravel.

Je déposai l'enveloppe sur la table de la cuisine.

Un tourbillon de pensées me paralysait. Dans le meilleur des cas, j'imaginais que Josiane Gravel se repentait de son attitude, me laissant espérer de la revoir. Dans le pire, je présumais qu'elle n'avait pas pu s'empêcher de m'écrire un tas d'insultes accompagnées des menaces de son fiancé qu'elle avait sûrement épousé depuis. Je prenais conscience de la stupidité de mes suppositions, de leur disproportion, de leur improbabilité, surtout que je n'avais jamais repensé à cette femme. J'étais consterné par ma fragilité, par l'émotion qui me ravageait à la vue de cette enveloppe. Je tournai en rond autour de la table un long moment avant de l'ouvrir.

Josiane Gravel m'écrivait que ma mère, affaiblie par sa maladie, incapable de le faire elle-même, l'avait suppliée de détruire un cahier. Elle ne se souvenait plus où elle l'avait rangé. Josiane Gravel l'avait retrouvé dans une boîte à chapeau. Le lendemain, ma mère avait quitté la maison en ambulance. Josiane Gravel ne s'était pas acquittée de sa mission : le cahier se trouvait dans l'enveloppe.

J'allai m'asseoir dans le fauteuil du salon. J'entendais les battements de mon cœur. Si ma mère, plongée dans la confusion au point où j'avais l'impression qu'elle ne savait plus qui j'étais, avait, dans un dernier sursaut de conscience, ramassé son passé et le peu de vie qu'il lui restait pour rappeler à sa mémoire l'existence de ce cahier pour aussitôt vouloir le soustraire à ma connaissance, c'est qu'il devait, d'une manière ou d'une autre, me concerner. C'est qu'il devait, d'une manière ou d'une autre, me faire du mal.

Après un long moment, je retournai à la cuisine, sortis le cahier de l'enveloppe, respirai son odeur. J'avais pensé y déceler le parfum de ma mère. Je ne sentis rien sauf un relent de poussière, une vague odeur de renfermé. Je l'ouvris et reconnus son écriture : phrases strictement ordonnées, mots serrés les uns contre les autres comme s'ils se tenaient au bord d'un précipice. Des notes qu'elle avait prises pendant son cours de soins infirmiers à propos de seringues, de système sanguin... Je les survolai avant de tomber sur des pages rédigées quelques années plus tard. Ce n'était plus la future infirmière qui les avait couchées sur papier, mais une jeune fille du nom d'Anne-Marie Létourneau qui s'apprêtait à s'unir à un homme du nom d'Alexis Trudel et qui mettrait au monde, un an plus tard, un fils du nom d'Edgar Trudel, un fils qui avait l'impression, en lisant le cahier de cette jeune femme, de n'avoir jamais connu sa mère.

Anne-Marie.

Jamais je ne l'avais appelée par son prénom. Si je l'avais fait, ne serait-ce qu'une fois, notre existence à tous deux aurait été plus douce.

Dans les dernières pages du cahier, ma mère décrivait sa nuit de noces et les appréhensions qui l'avaient précédée. Elle prenait un plaisir évident à décrire ses sentiments, multipliant des phrases haletantes sur les traits physiques de son futur mari. J'en étais perturbé. Un passage où elle parlait de son propre sexe comme d'un objet fragile, cassable, me fit honte. C'était ridicule. Ma mère livrait de façon impudique son cœur et son corps, décrivant la faim qui la tenaillait, la faim de son Alexis. Elle n'en dormait plus, elle était vierge, son futur époux avait sûrement connu d'autres femmes, elle craignait de se montrer maladroite. Pour se préparer, elle avait lu des livres, vu des films, discuté de ces choses avec ses camarades de l'hôpital où elle venait d'être engagée. Je découvrais que ma mère avait été, à sa manière, obsédée par le sexe et en parlait pourtant comme si elle avait vécu au XIXe siècle. Elle n'en finissait pas d'admirer la puissance qui émanait des bras de son Alexis. Elle avait dansé avec lui, s'était blottie contre ses cuisses, aimait l'odeur de tabac sur ses vêtements, allait jusqu'à mentionner qu'elle pourrait s'habituer à son haleine. Ces détails m'indisposaient, mais les passages relatant sa nuit de noces me bouleversèrent. Son Alexis avait été d'une incroyable brutalité avec elle. Pour jouir, il l'avait traitée de putain, l'avait frappée. Ma mère avait pleuré toute la nuit en silence de peur de le réveiller. Son sexe saignait, elle avait peur de mourir, mais elle n'osait pas se lever du lit. Au petit matin, son mari tout neuf s'était comporté comme s'ils formaient le couple le plus heureux du monde. Ma mère précisait qu'elle avait rincé dans le lavabo de la salle de bains le pyjama de son mari et sa propre chemise de nuit. Elle avait été jusqu'à faire tremper les draps dans la baignoire, honteuse que des employés de l'hôtel où ils étaient descendus jettent un regard indigné sur les restes de leur nuit de noces.

J'étais ébranlé. J'avais le sentiment que la maison venait de s'ouvrir en deux, laissant monter de la cave un cri de rage. Je montai dans la chambre de ma mère, ouvris le placard et mis la main sur la boîte à chapeau où, selon Josiane Gravel, ma mère avait dissimulé son cahier.

Après sa mort, j'avais fouillé dans ce placard et me souvenais très bien de cette boîte que j'avais vidée de son contenu : trois chapeaux démodés, une paire de gants en cuir blanc et une photo jaunie. J'avais tout remis en place. Je n'avais pas prêté alors beaucoup d'attention à la photo. J'avais reconnu ma mère. Elle devait être très jeune et se tenait aux côtés d'un homme que j'avais pris pour son père. Ils étaient photographiés devant la façade d'une maison qui ne me rappelait rien. Maintenant que j'avais la photo de nouveau sous les yeux, je me traitai d'idiot. L'homme se tenant près de ma mère n'était pas son père mais le mien. Cet homme aux épaules larges, au front dégagé, était son futur mari. La date, à l'endos de la photo, indiquait qu'elle avait été prise deux mois avant leur mariage. À présent, je faisais le lien entre ce visage austère, au regard dur, et celui que me renvoyait mon miroir : je ressemblais à mon père. Ma mère ne s'était pas trompée là-dessus, elle qui m'avait tant de fois répété qu'en vieillissant je deviendrais «son portrait tout craché». Bien sûr, c'était avant qu'elle ne se débarrasse de toutes ses affaires et ne raye son souvenir de notre vie.

Si je n'avais jamais connu mon père, mort le jour de ma naissance, je doutais à présent d'avoir connu ma mère, morte la nuit de ses noces.

LE CIMETIÈRE

Sur la photo, ma mère avait l'air fragile. Elle esquissait un sourire légèrement en coin, comme si elle exprimait une victoire secrète. Mon père, à ses côtés, donnait l'impression d'un bloc. Il y avait un peu de neige au sol, les restes du dégel printanier. Il devait faire froid ce jour-là ; pourtant ma mère ne portait qu'un chandail léger sur sa robe, alors que mon père portait son manteau d'hiver. Il fronçait les sourcils, aveuglé par le soleil. Au fond, cet homme avait l'air de s'ennuyer profondément. Pourquoi avait-elle gardé cette unique photo et jeté toutes les autres ? Je ne pouvais répondre mais comprenais qu'une photo de son mariage, après ce que je venais d'apprendre sur sa nuit de noces, aurait été trop pénible à regarder.

Je replaçai le cahier et la photo dans la boîte à chapeau et me rendis aussitôt au cimetière. Je n'y avais pas mis les pieds depuis l'enterrement de ma mère, au printemps.

Le soir approchait, parfumé par les fleurs fanées éparpillées sur les tombes. La lumière du mois d'août vacillait dans le ciel. Je m'étonnais de ressentir du soulagement. En cherchant la tombe de ma mère, je me surpris à siffler. Je repensais à Josiane Gravel. Qu'est-ce qui m'avait pris de la demander en mariage ? C'était à peine si je lui avais dit deux mots durant les semaines où elle s'était occupée de ma mère. Au cœur du cimetière, le bruit de la ville avait fait place au chant des grillons, l'air était bleu, les ombres sur le sol, très douces. Agenouillé près de la plaque de marbre noir où, en lettres dorées, était gravé son nom de femme mariée — ANNE-MARIE TRUDEL —, je fis à ma mère une déclaration d'amour. Je connaissais son douloureux secret. Son mari ne l'avait pas respectée. Il l'avait traitée de putain le soir de ses noces. Elle avait passé son existence à vouloir en effacer le souvenir. Je prenais, ce soir-là, la mesure de tout le mal que je lui avais fait subir et de tout le bien qu'elle m'avait donné en retour. Je le savais à présent : je n'avais pas été un enfant de l'amour. Combien de nuits humiliantes son Alexis lui avait-il fait supporter ? Dieu bénisse Josiane de m'avoir envoyé ce cahier ! Je voyais clair : j'étais né d'une offense que ma mère avait subie, d'une blessure qu'elle avait gardée au chaud dans son ventre.

Je pris l'habitude de venir sur sa tombe chaque jour. La lecture du cahier m'avait convaincu d'une chose : ma naissance l'avait délivrée de son bourreau. J'avais été son sauveur.

Je commençai plusieurs lettres adressées à Josiane Gravel, que je déchirais avant de les terminer. Je voulais la remercier de l'audace qu'elle avait eue de me faire parvenir ce cahier. J'aurais pu l'accuser de l'avoir lu, de s'être comportée comme une intruse. Comment la remercier et en même temps ne pas l'incriminer ? Surtout, je brûlais d'envie de savoir pourquoi elle avait cru bon de me faire prendre connaissance du cahier. Cette femme, décidément, m'intriguait, et les sentiments que j'avais déjà eus pour elle reprenaient un soupçon de vigueur léger, passager, qui me tourmentait délicieusement. Était-il possible que Josiane Gravel ait ressenti pour moi un peu d'affection, un fantôme de regret de m'avoir giflé, qu'elle ait eu pitié du fils en lisant ce que sa mère avait subi?

J'entrai finalement dans une papeterie où je dénichai une carte d'anniversaire. Je choisis la plus banale; elle montrait un gâteau avec des bougies. J'écrivis à l'intérieur ces quelques mots: «Je sais, ce n'est pas votre anniversaire, mais lorsque ce jour arrivera, vous aurez en banque cette carte et mes vœux qui l'accompagnent. Merci pour le cahier. Il a changé ma vie.» J'hésitais à l'envoyer, affolé de constater qu'une action aussi simple que de poster une lettre pouvait à ce point me perturber. J'attendis le soir pour sortir. Je pris l'auto et traversai une partie de la ville avant de trouver le courage de la déposer dans une boîte aux lettres. Il fallait que Josiane Gravel sache que ma vie, comme je le lui avais écrit sur la carte, n'était plus la même. Je n'étais plus l'épave qu'elle avait giflée et dédaignée. Ma naissance avait provoqué la mort de l'homme qui avait humilié, souillé ma mère.

La lettre enfin postée, je me rendis au cimetière. Je m'agenouillai sur la tombe de ma mère et lui parlai de Josiane Gravel, des élans nouveaux que ce nom faisait naître en moi. Plus je parlais, plus mon émotion grandissait, donnant du poids à mon espoir d'une vie meilleure, d'une vie dont ma mère aurait été fière, une vie rangée, normale, sans souf-france, sans honte, vécue dans la lumière et sous le regard des autres.

Ce soir-là, je m'étais endormi sur sa tombe. Je ne me doutais pas que cet espoir allait s'en-voler et disparaître à jamais dans les heures qui suivraient. Je fus réveillé par les rires sadi-ques de quatre hommes, quatre cavaliers de l'Apocalypse dont le crime odieux allait chan-ger le cours de ma vie, reléguant le souvenir de Josiane Gravel dans l'ombre de celui que j'allais appeler Jean. Mes visites au cimetière avaient aussitôt perdu tout intérêt, de même que le désir de plaire à une femme.

Le soir de l'Halloween, j'avais éteint toutes les lumières de la maison. Je ne tenais pas à ce que des monstres viennent sonner à ma porte. Je ne voulais pas de regards indiscrets. J'étais sur mes gardes, surveillais par la fenêtre des passants que je jugeais louches parce qu'ils tournaient la tête en direction de la maison. Je craignais qu'on vienne m'arrêter, qu'on m'enlève Jean. Après tout, cet homme avait sûrement des parents, des amis, un travail. Sa disparition avait dû être signalée. Quelqu'un, dans cette ville, devait le rechercher. Il pouvait être marié et, pourquoi pas, avoir des enfants. Même s'il s'était travesti en femme, je m'interdisais de le juger. Le nourrir comme un enfant l'avait délesté, à mes yeux, de toute forme de vice. Depuis que sa barbe avait poussé, le fait que j'avais pu le confondre avec une femme m'apparaissait inconcevable.

Aucune lumière ne filtrait à travers les rideaux. J'écoutais dans le noir la respiration de Jean. Elle me semblait venir de moi-même. Je devinais la prodigieuse quantité d'énergie nécessaire pour demeurer soi-même, devinais qu'il suffisait d'un moment d'inattention, d'une faiblesse passagère pour glisser entre les fentes d'un autre que soi. J'avais le sentiment de me fusionner à lui, de plonger au cœur de ses souffrances, de les goûter, de les manger comme un repas. La chambre plongée dans l'obscurité m'enfermait dans son mystère, me digérait dans son ventre. J'écoutais la respiration de Jean, j'entendais ma vie. Je renaissais comme si la chambre accouchait d'un autre Edgar, né d'aucun parent, né plutôt de cet homme respirant le noir de mon passé. Je voulais penser ce qu'il pensait, me promener dans sa tête close. Je voulais un signe de sa part.

J'allumai une bougie. La lueur de la petite flamme faisait danser mon ombre sur les murs. Mon regard fut attiré par l'empreinte qu'avait laissée le crucifix au-dessus du lit. La chambre prit l'allure d'un sanctuaire où Jean régnait comme une énigme endormie. Je fus frappé par la blondeur de sa barbe, qui donnait dans la pénombre une intensité nouvelle à son visage. Je me trouvais soudain en présence d'un homme qui avait souffert, un homme dont le visage avait dérobé les traits du Christ. Je me penchai, posai longuement mes lèvres sur son front. Une sensation de plénitude m'envahit. Je goûtais enfin à la paix. En me redressant, je vis ma mère. Elle avait pris la place de Jean. Elle hurlait mais aucun son ne sortait de sa bouche. Je sortis de la chambre, me précipitai dans l'escalier, ratai une marche, tombai, me relevai à toute vitesse et m'enfuis dans la nuit.

LA TACHE

Je m'étais réfugié dans un abribus. Parti sans manteau, je grelottais. Je me trouvais lâche de m'être enfui comme un enfant. Pourquoi aurais-je eu peur de ma mère? Elle était morte et enterrée. Ce n'était pas une hallucination qui la ferait revenir du pays des morts. Je tentais de me rassurer, mais cette vision m'avait ébranlé. Je me sentais coupable : et si c'était moi l'agresseur, celui qui avait tabassé Jean dans le cimetière, celui qui l'avait démoli à coup de bottes, humilié, souillé… Si c'était moi?… J'étais en train de perdre la tête. Je devais me ressaisir. Je m'accusais d'une chose impossible.

Un groupe d'enfants costumés déambulaient sur le trottoir. Une jeune fille s'en détacha et se dirigea vers l'abribus. Sa démarche était étrangement légère, comme si elle sautillait. Elle me demanda si j'avais besoin d'aide. Elle m'avait peut-être pris pour un sans-abri. Après tout, c'est ce dont je devais avoir l'air. Elle avait à la main une petite citrouille d'Halloween, pourtant elle n'était pas costumée. Au lieu de répondre à sa question, je la dévisageai. Sa beauté me fit peur. Elle plongea la main dans sa citrouille et m'offrit un bonbon. Puis elle partit rejoindre son groupe. C'est alors que je remarquai qu'elle portait, accrochées dans son dos, deux ailes minuscules. Je déballai le bonbon de l'ange et le fourrai dans ma bouche. Je me sentis mieux.

Quand enfin je retournai à la maison, mes vêtements étaient trempés de sueur froide. Je claquais des dents. Je jetai un coup d'œil prudent dans la chambre de Jean. Tout semblait normal, plus d'apparition. Je me fis couler un bain très chaud. La chaleur m'enveloppa. Sous mes paupières closes, des larmes coulaient. Je revoyais les enfants costumés en morts-vivants ou en fantômes, surtout la fillette aux petites ailes. Ma pensée voyageait : le massacre des saints Innocents, mon grand-père, sa révolte devant l'image de la crucifixion, le mystère de la souffrance… Lui et moi, nous nous étions peut-être trompés. Et si la venue du Christ méritait la mort de milliers d'enfants ?

Des enfants comme ceux que je venais de voir.

Lorsque je rouvris les yeux, il y avait beaucoup de sang dans la baignoire. Sorti de l'eau en vitesse, je m'essuyai en cherchant d'où provenait le saignement. J'avais un coude écorché et deux ou trois ecchymoses sur les jambes, résultat de ma chute de tout à l'heure dans l'escalier, mais pas de blessure qui saignait. Je tirai sur la bonde. J'allais peut-être découvrir, avec l'écoulement de l'eau, quelque chose d'anormal… J'attendis de voir le dernier tourbillon s'engouffrer dans le trou de la baignoire avant de me rendre compte de ma stupidité. Qu'est-ce que j'espérais trouver ? Un de mes organes qui, je ne sais trop comment, aurait réussi à s'évader de mon corps ?

J'allai me coucher. Une multitude de pensées m'envahirent aussitôt. Je les chassais, elles revenaient par des chemins détournés comme si tout ce que j'échafaudais n'avait été qu'un subterfuge pour me ramener à ce point de départ : je venais de perdre du sang sans en connaître la cause ni en ressentir aucun effet. Et cette fois-ci, j'étais certain de ne pas avoir été victime d'une hallucination.

Quelque chose avait saigné dans mon bain, quelque chose qui venait d'ailleurs, c'était à cette conclusion que je ne cessais d'aboutir.

J'allumai ma lampe de chevet. Assis dans mon lit, je guettais le moindre indice de la présence dans cette chambre d'un être qui n'y aurait pas été invité, un être ayant déjà appartenu au monde mais survivant dans l'immonde. Je me rappelais la terreur dans laquelle me plongeaient, enfant, les films de vampires. Ces histoires lugubres m'avaient initié à l'existence du mal : des êtres habitaient la mort et s'emparaient des vivants pour les forcer à se comporter de façon abjecte. Le mal possédait plus de poids que le bien. Et comme les vampires suçaient le sang de leurs victimes alors qu'elles étaient endormies, j'imaginais que le mal entrait en moi pendant mon sommeil, serpentant à l'intérieur de mes veines jusqu'à mon cœur où il s'enracinait. Dormir était la chose la plus dangereuse que je pouvais faire. Pourtant, au matin, je constatais que j'avais une fois de plus succombé au sommeil malgré ma vigilance d'enfant.

C'est en pensant à cette époque que je dus malgré tout m'endormir. Je me réveillai toujours assis dans mon lit, la lampe de chevet allumée. Sitôt levé, je me rendis dans la chambre de Jean et ouvris le tiroir où j'avais rangé le crucifix de ma mère. Après ce qui s'était passé la veille, je tenais à le remettre à sa place. Une surprise m'attendait. Je le retrouvai au fond du tiroir en deux morceaux. Le Christ, avec sa croix, était sectionné de façon presque égale, comme si quelqu'un l'avait scié à la hauteur du nombril. Pendant un instant, j'ai imaginé que Jean avait... Non, encore une fois, la peur faisait naître en moi des suppositions farfelues.

Je descendis à la cuisine avec les deux morceaux et les fixai avec de la colle. Ma petite besogne terminée, je réalisai que je n'avais jamais vraiment regardé ce crucifix. Il avait pourtant toujours surplombé de sa tristesse le lit de ma mère. Le visage du Christ, tordu par la douleur, les lèvres entrouvertes, implorait de l'aide.

J'allai au salon, coinçai le crucifix entre les deux plus gros livres que j'avais pu dénicher sur les rayons de la bibliothèque. Dans une heure ou deux, il serait réparé. Je montai à ma chambre pour me changer. Dès que j'entrai, je remarquai une tache sur mes draps à l'endroit où, assis, je m'étais endormi. J'enlevai le pantalon de mon pyjama et le retournai : il y avait aussi une tache. Pas de doute possible, c'était du sang. Je me précipitai à la salle de bains et m'examinai devant le miroir. Je ne remarquai rien d'anormal, ce qui ne fit qu'accroître mon angoisse.

Vers midi, j'allai récupérer le crucifix. Un peu de colle séchée bavait sur le bois. Je pris un couteau et la grattai. Je montai à l'étage. Je grimpai sur le lit, enjambai Jean. Au moment où je fixais sur son clou le crucifix, Jean m'attrapa par la jambe. Déséquilibré, je me retrouvai à quatre pattes sur le plancher. Je relevai la tête vers Jean ; il semblait pourtant calme. Pas de doute, son état s'améliorait. Je n'étais pas certain de m'en réjouir. J'aimais Jean dans son immobilité, dans son silence. J'avais remarqué avec appréhension qu'il remuait à présent les jambes. Je le soupçonnais de se lever pendant la nuit. Je n'avais plus le choix : j'achetai une chaîne pour l'attacher solidement à son lit.

LE PÂTÉ

Ma mère avait toujours préparé mes repas. Elle l'avait fait malgré son travail à l'hôpital, même du temps de sa longue maladie avant qu'elle ne soit alitée. La fin de semaine, elle avait l'habitude de cuisiner quiches, lasagnes, pâtés et soupes qu'elle congelait dans des contenants en plastique numérotés. Chaque chiffre correspondait à un plat : 1 pour les quiches, 2 pour les soupes, 3 pour les lasagnes… En rentrant du travail, elle ne manquait jamais de me demander ce que j'avais mangé le midi. Je lui répondais par un chiffre : j'ai mangé du 3, ou du 4, ou du 5. Ça la faisait sourire. C'était l'un des seuls rituels qui nous rassemblaient.

Ce jour-là, cela faisait un an que ma mère était morte et près de quatre mois que je vivais avec Jean. L'hiver était aussi glacial que l'an passé. Je me promenais dans la maison une couverture sur les épaules. J'ouvris le compartiment du frigo qui servait de congélateur. L'idée m'était venue qu'il restait peut-être un de ces plats préparés par maman. J'en trouvai un, dissimulé par des moules à glaçons. Je le tins à l'envers exprès pour ne pas voir le chiffre inscrit sur le couvercle. Je souris tristement à l'idée que j'allais manger, un an après sa mort, l'ultime repas qu'elle m'avait cuisiné. Ce fut un sourire du cœur, qui s'éteignit comme une flamme noyée dans la cire. J'avais la pénible sensation de tenir les restes congelés de ma mère, comme si un peu de sa chair, de son sang, de sa bonté méchante, de ses grands yeux, de ses mains sèches et précises, un peu de ce qu'elle avait été se retrouvait dans ce contenant de plastique. J'imaginais qu'à quelques petits kilomètres d'où je me trouvais, sous la terre froide et humide de janvier, le corps de ma mère avait la même dureté, le même aspect de nourriture comprimée et congelée que le plat que j'avais dans mes mains. Cela ne m'attristait plus, cela m'horrifiait.

Je retournai finalement le contenant, regardai le chiffre sur le couvercle : 4. Pâté au poulet et légumes.

Je mis le plat au micro-ondes. Vingt minutes plus tard, je goûtai ce pâté dont la saveur fade ne ressemblait plus à rien. Je m'obligeai à le manger malgré mon envie de vomir. J'en gardai une petite part pour Jean, montai à l'étage. J'espérais naïvement que cette communion inusitée pourrait nous réunir, ma mère, lui et moi. Mais Jean recracha le pâté, peu habitué à ce type de nourriture. J'avais laissé le plat trop longtemps au micro-ondes, et la croûte avait durci. Je pris alors une bouchée du pâté, la mastiquai longuement, collai mes lèvres sur celles de Jean et fis passer la nourriture de ma bouche à la sienne.

Je descendis à la cuisine nettoyer le contenant de plastique vidé de tout son contenu. Je ne tenais plus en place. J'étais envahi par une envie soudaine de repeindre toute la maison, de me perdre dans des tâches ménagères dont je repoussais sans cesse l'exécution. Je jubilais, j'exultais. Jamais je n'aurais cru que la joie pouvait atteindre cette dimension.

Habituellement, je lavais Jean dans son lit. J'utilisais deux bassines, l'une remplie d'eau savonneuse et l'autre remplie d'eau chaude dans laquelle je rinçais ma serviette. Ce système m'évitait de constants allers-retours entre la salle de bains et la chambre. Le dimanche, je lui donnais un shampoing. Je passais ensuite une partie de la journée à laver le linge sale accumulé de la semaine. De toute façon, je n'avais jamais aimé le dimanche, autant l'occuper à des tâches déplaisantes.

Je ne sais trop pourquoi, ce matin-là, j'eus envie de donner un véritable bain à Jean. Avec mon aide, il marcha jusqu'à la salle de bains et s'assit dans la baignoire. Sa maigreur me toucha. Je ne pus m'empêcher de voir le corps souffrant du Christ dans le sien. C'était idiot, je le savais, et j'avais beau me raisonner, j'étais ému comme si le corps que je lavais était aussi le sien, à ce Jésus dont j'avais été jaloux, dont la souffrance m'avait paru suspecte. Je l'avais ridiculisée à tort, cette souffrance, puisque j'avais cru la voir dans n'importe quel homme, n'importe quelle femme, n'importe quel insecte que mon pied écrasait. Mais je l'avais confondue avec la douleur, si facile à faire apparaître dans un corps, alors que la souffrance était la chair même de l'âme humaine. Sans elle, il n'y aurait pas d'âme ; sans elle, la vie n'aurait pas de valeur, et quiconque, sur un coup de tête, pourrait s'en défaire, la jugeant inutile.

Je me déshabillai et rejoignis Jean dans la baignoire. Il fut aussitôt intrigué par les cicatrices qui striaient mes bras et mes jambes. Il les examina longtemps avant de les parcourir avec son doigt comme s'il cherchait un message enfoui dans ma chair. Embarrassé, je le savonnai de la tête aux pieds, le rinçai, le recouchai et l'attachai.

J'allai à la cuisine lui préparer quelque chose à manger. Je vis alors par la fenêtre que le facteur avait déposé une enveloppe dans la boîte aux lettres.

Dans une lettre plus détaillée que la première, Josiane Gravel m'informait d'une chose étonnante : il existait en fait deux cahiers. Une autre chose qui me surprit fut que ma mère, qu'elle avait visitée à plusieurs reprises à l'hôpital, changeait d'idée tout le temps au sujet de ces cahiers. Un jour, elle insistait pour que Josiane Gravel les détruise, le jour suivant, pour qu'elle me les remette après sa mort. Au fil des jours, elle était devenue de plus en plus confuse, jusqu'à oublier complètement cette histoire de cahiers. Josiane Gravel, finalement, ne les avait pas détruits. Après le décès de ma mère, elle les avait lus. Voulant accomplir ses dernières volontés mais, ne sachant lesquelles, elle s'était sentie autorisée à le faire. Elle avait attendu plusieurs mois avant de m'envoyer le premier cahier, pensant que la douleur de mon deuil serait alors moins vive.

Josiane Gravel ne m'avait pas mentionné l'existence du deuxième cahier et ne l'aurait jamais fait si ma carte de vœux ne l'avait pas rassurée. Je lui avais écrit que la lecture du cahier « avait changé ma vie pour le mieux », et ces mots l'avaient persuadée qu'elle devait aussi me poster le deuxième cahier. « Aujourd'hui, c'est mon anniversaire, je me suis offert le cadeau d'aller au bout de cette histoire », m'écrivait-elle en terminant sa lettre.

Le deuxième cahier était plus petit que le premier. La première page était remplie de *a* tracés au crayon de façon maladroite. Un cahier d'exercices rayé, celui d'un enfant de six ans faisant ses premiers pas dans l'apprentissage de l'écriture. Mon cœur se serra, j'avais été cet enfant. Je tournai les pages, vis une série de *b*, de *c* et de *d*. Après, c'était autre chose : l'écriture serrée de ma mère apparut avec son encre violette. J'allai au salon et lus d'une traite la dizaine de pages qui terminaient le cahier.

Ma mère s'accusait d'avoir voulu me tuer.

C'était net, clair, écrit sans aucune hésitation. Elle avait tenté de noyer son enfant de deux ans dans son bain.

Elle avait maintenu ma tête sous l'eau. Je n'arrivais pas à le croire. Je cherchais dans ma mémoire un lambeau de souvenir qui aurait pu être relié à cette scène, je ne trouvais rien, ne me rappelais de rien. Ma mère avait pourtant répété sa tentative ignoble, tenant à chaque fois plus longtemps ma tête sous l'eau, comme si elle s'entraînait. Elle avait tellement aimé son mari, écrivait-elle, qu'elle n'avait plus rien à offrir à un fils. Ma naissance avait expulsé du monde son Alexis, comme s'il n'y avait jamais eu, dès le départ, suffisamment de place sur terre pour lui et moi. C'était l'un ou l'autre, mais pas les deux. Je naissais, il mourait par ma faute. Elle avait appris à l'aimer, elle n'avait pas eu à apprendre à me haïr. Avec l'aide de Dieu, elle avait retenu sa violence contre moi, mais le souvenir de son mari la hantait, ravivant sa rancœur. Je grandissais, marchais, parlais, devenais tout pour elle mais, surtout, j'étais son châtiment permanent. Elle avait mis au monde un fils qu'elle avait désiré tuer, elle devait expier.

Quand j'atteignis l'âge de six ans, elle ressentit le début d'un apaisement. Son travail à l'hôpital, qu'elle avait repris à temps plein, et mon entrée à l'école primaire donnaient à ses journées un élan nouveau. Un an plus tard, elle jeta tout ce qui lui rappelait son mari, déchira ses photos, ne prononça plus jamais son nom en ma présence, n'évoqua plus jamais son souvenir. Elle avait accepté d'être une mère.

« J'ai appris à aimer Alexis comme une petite chienne apprend à aimer son maître. Je l'aime toujours. Je ne me le pardonne pas. »

Ces deux phrases qui terminaient le cahier me firent plus de mal que toutes les autres réunies. Ma naissance avait été un deuil. Comme ma mère avait dû me détester quand elle me donnait le sein ! Comme elle avait dû détester mes anniversaires, qui lui rappelaient plus le jour où elle était devenue veuve que celui où elle était devenue mère !

Je fis un tas au milieu du salon avec tous les objets, bibelots, cadres, souvenirs qui lui avaient appartenu. Je vidai les tiroirs de la cuisine de toutes les petites choses inutiles, encombrantes, que ma mère avait accumulées : porte-clés, napperons brodés, jeux de cartes, bobines de fil. J'arrachai de la paroi du frigo les figures aimantées qu'elle avait collectionnées : animaux, lettres de couleur, macarons. Je sortis de leurs vases poussiéreux les fleurs séchées plus poussiéreuses encore qu'elle avait disposées sur la table de la cuisine et sur la table basse du salon. Je montai à la salle de bains avec plusieurs sacs-poubelles. Je vidai la pharmacie de ses produits de beauté de mauvaise qualité, de ses parfums bon marché, de ses flacons de pilules périmées, de ses tubes d'onguent séché, d'une bouteille de vernis à ongles d'un rose écœurant, de deux vieilles brosses à dents. Dans sa chambre, je vidai la garde-robe et les tiroirs de ses robes, manteaux, sous-vêtements, chapeaux ridicules, chaussures usées et démodées empestant la tristesse. Je revins au salon avec trois sacs-poubelles bourrés de vêtements et de babioles. Je remplis d'autres sacs avec la plupart des livres de la bibliothèque, bouquins jaunis, romans jamais ouverts de sa fameuse collection d'auteurs classiques, revues féminines écornées, livres de cuisine maculés, graisseux. En moins d'une heure, j'avais entassé une dizaine de sacs-poubelles pleins au milieu du salon. Les éboueurs ne passeraient pas avant deux jours. J'ouvris la porte de la cave et jetai un par un les sacs dans l'escalier. J'avais décidé de n'en mettre que deux à la fois sur le trottoir, à chaque passage des éboueurs. Un énorme tas d'ordures aurait attiré l'attention. Je ne tenais pas à ce que les voisins remarquent quoi que ce soit d'anormal chez moi. À ce rythme, j'en serais débarrassé en quelques semaines. J'allai faire des courses. Je me surpris à acheter des choses nouvelles et plus chères. Je revins à la maison avec une bavette au lieu de l'éternel steak haché que j'avalais en boulettes, mécaniquement. Je ramenai aussi des fruits pour Jean. L'hiver ralentissait la ville derrière les fenêtres gelées. Je sifflotais des airs stupides. Je me sentais léger.

Une semaine plus tard, tout bascula.

Jean brûlait de fièvre. Dans sa chambre flottait une odeur aigre. Il refusait toute nourriture. Je l'avais libéré de sa chaîne et enfoui sous une masse de couvertures. Il râlait, claquait des dents. C'était insoutenable. Je diluai de l'aspirine dans un verre d'eau et réussis à lui en faire avaler quelques gorgées. En le lavant, je lui découvris des ganglions énormes. Ils avaient dû se développer en quelques heures. Je les palpai avec dégoût. Ils recelaient, dans leur coque fermée, les rouages vivants d'un dérèglement mortel. Ils étaient le signe obscène que quelque chose, dans le corps de Jean, travaillait à sa perte. Une chose — virus, bactérie, microbe — proliférait dans ses organes. Sa barbe était constamment mouillée de sueur. Sa fièvre demeurait tenace. Je ne me permettais aucun répit.

À peine si je sommeillais quelques heures, couché en boule au pied de son lit comme un chien malheureux. J'essayais de trouver les causes de sa maladie, passais en revue ce qu'il avait mangé les derniers jours, ne trouvais rien qui eût pu provoquer une intoxication alimentaire. Je tâtais sa tête, vérifiais ses anciennes blessures. Rien. J'ouvrais sa bouche, la fouillais avec une lampe de poche. Le fond de sa gorge me semblait irrité. Sa langue était blanchâtre. Je palpais son ventre. J'allais jusqu'à imaginer que Jean était infesté par des vers ou encore qu'un rat, pendant la nuit, avait réussi à se loger dans ses intestins. Chose impossible, mais j'y pensais, et cela suffisait à me désespérer.

Je n'avais jamais pensé que Jean puisse mourir. Cette crainte aurait pourtant été justifiée au moment où je l'avais ramené à la maison. Il avait alors donné si peu de signes de vie que j'aurais dû m'attendre au pire. Pourtant, non. Comme si sa mort n'avait pas de sens. Je ne pouvais m'expliquer cette force aveugle qui m'avait habité dès que j'avais compris que Jean ne faisait pas seulement partie de ma vie mais qu'il *était* ma vie. Cette assurance, à présent, m'avait quitté. Jean allait mourir si je ne trouvais pas comment le guérir.

Puis une pensée sournoise trouva un chemin jusqu'à mon cœur. La maladie de Jean, c'était elle. Ma mère.

Elle n'avait pas apprécié que je me débarrasse de ses affaires, pas supporté de voir son fils jeter pêle-mêle dans des sacs-poubelles les restes de sa vie défunte. Elle savait tout, voyait tout, attaquait, minait ce que j'aimais. Rien de mieux que la mort pour surplomber le quotidien des vivants. Lieu sublime. Personne ne peut vous en déloger. Elle m'épiait depuis le début de sa fin.

Elle était morte pour enfin voir quelle sorte de fils j'étais.

Après trois nuits à veiller Jean sans espoir, je descendis dans la cave. C'était à peine l'aube. Je vacillais de fatigue. Je m'étais décidé à remettre à sa place tout ce qui avait appartenu à ma mère. J'étais prêt à cette lâcheté. Je replacerais ses vêtements dans leurs tiroirs, garnirais de nouveau sa pharmacie de ses vieux flacons, remettrais sur le frigo ses animaux aimantés. Tout serait comme avant. Et, s'il le fallait, je me rendrais au dépotoir de la ville pour retrouver les deux sacs-poubelles déjà enlevés!

J'avais abdiqué. Morte, elle me semblait plus forte que vivante, ayant tout le temps voulu pour me faire du tort. La maison me répugnait comme si le cadavre de ma mère pourrissait à l'intérieur de ses murs, contaminé par le désir malsain qu'elle avait eu pour son mari.

Je me tenais devant le tas de sacs comme si devant moi s'était étalée la maladie de Jean : un cancer. Dans la pénombre sale de la cave, ils respiraient comme autant de poumons noirs et puants. En me penchant pour en attraper un, je sentis la présence de ma mère. J'aperçus, en me retournant, la grande photo de son quarantième anniversaire. J'avais pourtant cru l'avoir rangée au fond d'un vieux carton. Visiblement, je n'avais pas été au bout de mon intention : je l'avais simplement déposée sur le carton. Je comprenais pourquoi je n'avais pu tolérer cette photo plus longtemps alors qu'elle trônait au salon. Dans son uniforme d'infirmière immaculé, ma mère affichait sa cruauté bienveillante. Son vrai visage apparaissait. Un visage de haine. Dur. Intransigeant. Le visage d'une meurtrière.

« Tu n'as aucun pouvoir, aucun droit, maman. Tu ne me vois pas. Tu n'as rien vu. Tu ne sais pas que Jean vit dans ton lit. Tu ne sais rien parce que tu n'es plus rien. »

Je fracassai le cadre en jetant un regard de dégoût sur les sacs-poubelles : les affaires de ma mère resteraient là à pourrir. Tandis que je remontais l'escalier de la cave, le nom de Josiane Gravel résonnait dans ma tête. J'allais l'appeler. C'était une infirmière profession-nelle. Elle saurait quoi faire pour soigner Jean.

Je passai une journée entière à hésiter devant le téléphone. Comment la convaincre de venir chez moi ? Lui dire quoi ? Allait-elle me rire au nez ? Inviter Josiane Gravel m'ap-parut impensable, voire dangereux. Quant à demander l'aide d'un médecin ou faire venir une ambulance, c'était hors de question. Je n'étais pas fou. Personne ne comprendrait. On m'enlèverait Jean. On me jetterait en pri-son. Et Jean mourrait sans moi.

LE GÂTEAU

L'état de Jean s'aggravait d'heure en heure. Impossible de lui faire avaler de l'eau. Ses réflexes l'avaient abandonné. Je détectais à peine le souffle de sa respiration. Au bout de deux autres jours d'hésitation, je me résolus à le faire : j'appellerais Josiane.

Il me fallait un prétexte. J'eus l'idée de lui faire croire que c'était mon anniversaire, ce qui n'était pas le cas puisque j'avais passé le cap des trente-sept ans trois mois plus tôt. Au cours du repas, je l'informerais que j'avais loué la chambre de ma mère à un locataire. Je lui parlerais de lui : Un homme très bien… Il aurait été ravi de partager avec nous ce repas d'anniversaire, mais il est tombé subitement malade… Non, non, rien de grave mais je m'inquiète tout de même... Peut-elle le voir ? Oui, il a un peu de fièvre… Peut-elle me donner son avis ? Elle a soigné ma mère avec tant de compétence professionnelle…

Retenant mon souffle, je l'appelai. Deux minutes plus tard, j'étais à genoux dans le salon en remerciant Dieu. Josiane, d'une voix étouffée, avait simplement dit qu'elle viendrait.

Elle n'avait pas paru surprise, pas posé de questions, pas évoqué le souvenir de ma mère. Rien. Comme si nous nous étions vus la veille. Elle n'avait même pas mentionné les cahiers. Pas la moindre allusion. Un miracle.

Je pris une douche, me rasai, sortis faire des courses. J'achetai un poulet déjà cuit, une bouteille de vin et un gâteau sur lequel j'avais fait inscrire «Joyeux anniversaire Edgar».

Je l'attendais vers 19 h. Elle frappa à ma porte à 19 h. Je n'avais pas vu d'auto arriver de la fenêtre où je guettais son arrivée. J'en conclus qu'elle avait pris l'autobus. Elle avait dû marcher un bon dix minutes après avoir descendu à l'arrêt. Du temps qu'elle soignait ma mère, elle prenait un taxi et se faisait rembourser. Je la fis entrer. Il y eut un moment de silence. Court, mais suffisamment lourd pour nous figer tous les deux. Elle enleva son chapeau. Une vilaine tuque. Ses cheveux étaient noirs, elle avait renoncé à la teinture. Elle se débarrassa de son manteau, me demanda si elle devait enlever ses bottes, qui dégoulinaient de neige sale. Je lui répondis que ce n'était pas nécessaire. Elle parut surprise et, enfin, esquissa un sourire. Elle ouvrit son sac à main et en sortit un petit paquet enveloppé dans du papier de soie. J'allai ranger manteau, tuque et sac à main dans le placard de l'entrée. Je m'aperçus que mes mains tremblaient. Quand je revins vers elle, elle me souhaita un joyeux anniversaire et m'offrit en rougissant son cadeau. Je l'ouvris. Une cravate, couleur vert pomme. J'eus envie de la gifler. Et tout de suite après de la serrer dans mes bras, de me fondre dans les siens.

Une cravate.

Ce cadeau m'enleva toute pudeur. Je devais agir vite. Je fis asseoir Josiane à la table déjà toute prête. Salade, poulet, gâteau, vin. Josiane fit remarquer que la maison lui semblait plus grande. Le vin était mauvais. Josiane ne s'en plaignit pas. Elle était polie. J'attendais le moment où elle me parlerait des cahiers. Elle attendait sans doute que je l'interroge sur son fiancé ou son mariage. J'étais certain qu'il n'y avait jamais eu de fiancé ou de mariage. Elle m'avait menti. Sinon, que faisait-elle ici? Elle voulait sûrement quelque chose. Je la regardais manger le poulet. Ses cheveux, débarrassés de leur fausse blondeur, donnaient à son visage un air plus déterminé. Étrangement, ça la rajeunissait. Je pouvais imaginer la gamine qu'elle avait été. Sans doute une adolescente mal dans sa peau. Un être tourmenté. Comme moi. Je m'étais trompé : elle n'était pas laide. Ni belle. Ni jolie. Ni rien. Banale, diluée, sans intérêt. Comme moi. Au fond, elle me ressemblait.

Le poulet terminé, elle fit allusion aux cahiers. Avais-je compris quelles étaient ses intentions? Pourquoi elle me les avait envoyés? Je la rassurai. J'observais ses mains délicates. Elle portait un chandail qui la grossissait. J'enlevai les assiettes, revins de la cuisine avec le gâteau. Je me sentais idiot, j'avais pris la peine d'y planter trente-sept chandelles. Je trouvais tout à coup cette mascarade gênante et maladroite. Que penserait-elle d'un homme qui préparait lui-même son gâteau d'anniversaire? Je lui parlai enfin de l'existence de mon locataire. Je bafouillai un peu mais je m'en tins à mon scénario. Elle ne montra aucun signe d'étonnement ni d'agacement, comme si l'imprévu n'avait pas de prise sur elle. Je sentis même que cette diversion la soulageait. L'atmosphère durant le repas avait été lourde. Elle avait attendu autre chose de ma part. Plus d'attention? Plus de curiosité à son endroit? Après tout, si je l'avais invitée seule à ce faux anniversaire, vu les circonstances qui nous avaient remis en contact, elle était en droit d'espérer mieux que ma présence molle. Je n'avais aucun désir pour elle.

Elle me suivit dans l'escalier.

Quand je la fis entrer dans la chambre, elle porta aussitôt sa main à la bouche. Puis elle eut un mouvement de recul comme si elle allait vomir. Je compris à quel point je m'étais habitué à la puanteur qui régnait entre ces murs. Jean se décomposait. Ou une chose inconnue pourrissait en lui. Josiane me regarda, incrédule. Je la poussai vers le lit. Rien ne se passait comme je l'avais espéré. Jean, avec ses cheveux sales et sa barbe hirsute, ne correspondait pas au locataire réservé et fiable que je venais de lui décrire. Il avait plutôt l'air d'une vermine moribonde, créature de cauchemar. Elle prit son pouls, c'est tout ce qu'elle fit, et sortit de la chambre en vitesse.

Josiane était-elle arrivée trop tard? Je descendis au rez-de-chaussée la rejoindre. Elle était au salon en train de composer un numéro. Je lui arrachai le téléphone des mains.

Que s'est-il passé après? J'ai beau fouiller dans ma mémoire, je n'arrive pas à reconstituer le déroulement exact des événements. Demeure un trou où aujourd'hui encore je me noie. Je l'ai tuée, c'est ma seule certitude.

J'ai tué Josiane Gravel à coups de couteau. Plusieurs coups. J'imagine qu'elle a tenté de me persuader qu'il fallait de toute urgence demander de l'aide. Avait-elle saisi en entrant dans la chambre que quelque chose clochait? Son instinct d'infirmière, je présume. Elle a eu peur. Pour elle. Pour l'inconnu qui pourrissait à l'étage. Était-elle en train d'appeler une ambulance ou la police? Je ne le saurai jamais. Je me souviens d'avoir regardé mon gâteau d'anniversaire. J'étais en train, je crois, de lui crier qu'il ne fallait pas se fier aux apparences. Si quelqu'un pouvait m'aider, c'était elle, seulement elle, personne d'autre! Lui ai-je dit que l'inconnu s'appelait Jean? Lui ai-je répété qu'il était absolument hors de question d'alerter qui que ce soit? L'ai-je suppliée de remonter dans la chambre et de faire tout ce qu'elle pouvait pour le sauver? Avec quels mots? Je ne m'en souviens pas. Qu'a-t-elle dit? Qu'a-t-elle fait? Je ne m'en souviens pas non plus. Je regardais le gâteau d'anniversaire posé sur la petite table du salon, c'est tout ce dont je me souviens. Et aussi du couteau qui m'aurait servi à le couper si tout s'était déroulé comme je l'avais naïvement espéré, et qui m'a plutôt servi à mettre fin aux jours de Josiane Gravel.

J'étais étonné, pas sonné, étonné que tout se soit déroulé comme dans les films ou les romans policiers. Tuer quelqu'un n'était pas difficile. Ça arrivait. Vite. Très vite. Surtout lorsqu'on ne l'avait pas planifié.

J'ai descendu le corps de Josiane Gravel dans la cave. Je ne crois pas avoir imaginé m'en débarrasser autrement. Faute d'argent, l'aménagement de la cave n'avait jamais été terminé. Le sol étant en terre battue, je n'ai eu qu'à déplacer les sacs-poubelles, creuser un trou, ensevelir Josiane Gravel, replacer les sacs. J'avais aussi enterré son manteau, sa tuque, son sac à main, la cravate avec son emballage et le couteau.

Creuser m'avait exténué. De retour au salon, la pensée que Jean était peut-être mort me traversa le cœur. Aurais-je dû attendre avant de refermer le trou dans la cave ? M'entendre formuler cette question me plongea dans un profond désespoir. J'en étais là : je me préoccupais de ce genre de détail alors que je n'étais pas en mesure d'imaginer la vie après Jean. Écœuré, je m'étendis sur le divan du salon, n'osant remonter là-haut. Je disparus dans un sommeil poisseux. La flèche. Elle me pourchassait de nouveau. Cette fois-ci, j'entrevis l'homme qui l'avait décochée. Il marchait lentement vers moi, une arbalète dans les mains. Je fuyais à toutes jambes, tentant d'éviter les obstacles, les arbres qui sortaient brusquement de terre sur mon chemin.

À bout de souffle, à genoux, je sentis ma nuque craquer sous l'effet de l'impact. J'ouvris les yeux, quelqu'un se trouvait dans le salon. Je distinguais, dans la pénombre, la silhouette efflanquée d'une créature d'outre-tombe. L'homme à l'arbalète, sorti de mon rêve, s'approcha de moi. C'était Jean.

Son corps nu d'une maigreur saisissante m'intimidait. J'avais l'impression d'examiner un objet dont je ne possédais pas le mode d'emploi. Je prononçai son nom, il ne broncha pas. Je le touchai à l'épaule, il remua les lèvres. Je le fis asseoir et lui donnai de l'eau. Il avait encore de la fièvre, mais s'il avait pu se lever, descendre l'escalier, comment ne pas espérer que le pire était passé ? Il allait vivre, je n'aurais jamais dû en douter. J'étais un salaud de l'avoir fait. C'était une grave erreur d'avoir invité Josiane Gravel, je m'en rendais compte de façon douloureuse à présent.

Je couchai Jean dans mon lit ; trop d'odeurs néfastes hantaient sa chambre. Le lendemain, je la désinfectai au grand complet. Je lavai tout : draps, rideaux, plancher, murs. Malgré le froid, j'ouvris la fenêtre. L'air glacial chassa les derniers vestiges de la maladie. Vers le début de la soirée, je réintégrai Jean dans sa chambre. Ses ganglions avaient plus ou moins diminué. Il avait avalé un peu de purée de légumes. Depuis la veille, je n'avais rien mangé moi-même. J'ouvris une boîte de soupe en conserve, l'engloutis avec un morceau de pain. J'allai chercher mon gâteau d'anniversaire que j'avais laissé au salon et le déposai au centre de la table de la cuisine. Je regardai les lettres écrites en rouge sur le glaçage avec l'envie de pleurer comme un enfant : « Joyeux anniversaire Edgar. »

J'étais devenu un meurtrier.

J'allumai les trente-sept chandelles, demandai pardon à Dieu de mes péchés et fis le vœu de me consacrer à son fils vivant. Je soufflai les chandelles et me coupai un morceau. J'allais le manger quand j'entendis un son inhabituel. Je tendis l'oreille. Je reconnus les premières notes de *À la claire fontaine*. La mélodie semblait venir de très loin. Elle cessa subitement. Je posai ma fourchette et jetai un regard autour de moi. La petite radio sur le comptoir de la cuisine était éteinte. J'allai vérifier la télé. Éteinte aussi. J'entendis de nouveau les mêmes notes, qui cessèrent bientôt. J'ouvris la porte de la cave, descendis l'escalier. J'attendis quelques minutes aux aguets. La mélodie monta de nouveau du tas de sacs-poubelles, comme une plainte étouffée, un chant lointain. Les battements de mon cœur se calmèrent. Non, ce n'était pas le fantôme de Josiane Gravel qui venait me chanter *À la claire fontaine,* c'était la sonnerie de son téléphone.

Son téléphone sonna ainsi toute la soirée, même après minuit. Quelqu'un la cherchait. Il était clair que son absence avait été signalée. J'imaginais la ville entière déjà à sa recherche. Le lendemain, vers la fin de l'après-midi, les sonneries cessèrent. La pile du téléphone avait enfin rendu l'âme. Il était temps, j'étais sur le point de déterrer Josiane Gravel.

Je jetai le gâteau avec ses trente-sept chandelles pathétiques sans l'avoir goûté.

Je n'osais plus sortir de la maison, j'avais peur de me mettre à chanter à tue-tête «Il y a longtemps que je t'aime, jamais je ne t'oublierai» devant des passants ébahis! Moi, Edgar Trudel, j'avais tué quelqu'un. Je me tapais la tête contre le mur de ma chambre.

Un soir, je me réfugiai dans le lit de Jean et me blottis contre lui. C'était la première fois de ma vie que j'enlaçais quelqu'un. J'étais étonné qu'un corps puisse dégager autant de chaleur, que le mien puisse l'apprécier avec autant d'avidité.

J'avais décidé de ne plus l'attacher, sauf quand je devais sortir de la maison. Il lui arrivait, en ma présence, de faire quelques pas, de s'immobiliser, attendant que je vienne vers lui. Je percevais dans son regard une lueur de soulagement quand je l'aidais à s'asseoir dans un fauteuil. Je ne comprenais pas comment, ce soir-là, il avait pu descendre seul l'escalier. Comme si la mort de Josiane Gravel avait permis la guérison de Jean, comme si des vases communicants avaient relié leurs existences. Malgré cette idée rassurante, je passais mes journées à enfiler des kilomètres de Notre Père. J'en avais besoin pour chasser mes craintes toujours plus vives : si la police retrouvait ma trace? Josiane Gravel m'avait écrit, je lui avais écrit, et nous nous étions parlé au téléphone. On pourrait facilement établir un lien entre elle et moi.

Pendant le repas du faux anniversaire, je m'étais convaincu qu'elle vivait seule. Je n'en étais plus certain. Je ne l'avais appelée qu'une fois, et je l'avais eue tout de suite au bout du fil. J'en avais conclu qu'elle vivait seule. Quelle naïveté! Son mari pouvait la serrer dans ses bras au moment où elle me parlait. Comment être absolument certain qu'elle n'avait pas informé quelqu'un du rendez-vous qu'elle avait avec moi? Au fil des jours, je ressassais différents scénarios qui aboutissaient tous à cette conclusion : une personne dans l'entourage de Josiane Gravel savait quelque chose. Son fiancé, ou son mari, sa mère, sa sœur, un voisin?

En proie à une angoisse insupportable, j'allumai la télé. J'en avais été incapable plus tôt. Je n'avais pas lu un journal ni même écouté la radio depuis un mois. J'étais sorti deux ou trois fois pour faire des courses, pas plus. Je m'attendais à tout instant à ce que la maison soit cernée par des policiers armés. Au fond, je l'espérais. Pourquoi, après tant de jours interminables, personne n'était venu m'arrêter? Je voulais savoir qui avait appelé Josiane Gravel et fait résonner des dizaines de fois dans mon crâne «il y a longtemps que je t'aime», paroles qui revenaient me hanter chaque jour. Je voulais savoir si c'était lui, son fiancé, son mari, qu'on verrait dans les reportages télévisés, implorant la population de lui fournir le moindre indice pour retrouver sa bien-aimée. Je voulais savoir qui j'avais réellement tué.

Je zappai plusieurs fois avant de tomber sur la fin d'un reportage qui attira mon attention. Ça ne concernait pas la disparition de Josiane Gravel mais plutôt l'assassinat d'une chanteuse. Son meurtrier courait toujours après plusieurs mois d'enquête. Le reportage se terminait sur sa photo et son nom : Émilie Langevin (1980-2001). Je zappai de nouveau mais ne trouvai rien concernant Josiane Gravel. Je décidai finalement d'aller acheter des journaux. Dehors, il neigeait abondamment. Je mis bottes et manteau. J'allais sortir quand on frappa à la porte. Depuis la mort de ma mère, personne n'avait frappé à cette porte sauf Josiane Gravel.

C'était eux. Ils m'avaient retrouvé. Ils venaient m'arrêter.

J'ai ouvert la porte. Deux hommes m'ont demandé si j'étais Edgar Trudel. J'ai balbutié quelques mots. C'étaient bien deux inspecteurs de police. Ils enquêtaient sur la disparition de Josiane Gravel. Ils savaient que je l'avais appelée la veille de sa disparition. Le relevé de ses appels téléphoniques l'indiquait sans l'ombre d'un doute. Je les ai invités à s'asseoir autour de la table de cuisine, leur ai proposé du café. Ils ont refusé, m'ont demandé si je vivais seul. J'ai répondu que, depuis la mort de ma mère, c'était le cas. Cette question m'avait perturbé au plus haut point. Il fallait à tout prix que Jean ne fasse aucun bruit. Qu'aurais-je bien pu leur dire s'il avait descendu l'escalier et s'était montré à eux, nu ou affublé d'une couche ? Heureusement, rien de tout cela ne se produisit. J'expliquai aux deux inspecteurs que Josiane Gravel avait soigné ma mère. Je l'avais peu connue mais suffisamment pour apprécier sa valeur, surtout ses compétences professionnelles. J'avais en fait à peu près oublié son existence, mais l'anniversaire de la mort de ma mère l'avait ramenée à mon souvenir. Je l'avais donc récemment appelée pour la remercier et prendre de ses nouvelles. Mon appel n'avait été que pure politesse, rien de plus.

Non, Josiane Gravel n'avait rien mentionné d'anormal lors de notre conversation téléphonique. Non, je n'avais aucune idée du lieu où elle pouvait se trouver. Non, je ne connaissais rien de sa vie privée. Oui, j'étais affecté par sa disparition.

Ils se sont excusés poliment du temps qu'ils m'avaient pris, me laissant un numéro de téléphone pour les joindre au cas où j'apprendrais quelque chose de nouveau. «On ne sait jamais», dit celui qui posait le plus souvent les questions. L'autre prenait des notes dans un petit calepin. Durant tout l'interrogatoire j'avais gardé mon manteau. Ma chemise était trempée de sueur.

Les inspecteurs partis, j'étais rassuré sur une chose : Josiane Gravel n'avait informé personne de sa venue chez moi, sinon ces deux-là l'auraient indiqué d'une manière ou d'une autre. Elle n'avait jamais eu de fiancé. C'était sa mère ou une amie qui l'avait appelée peu après sa disparition. De toute façon, je ne le saurais jamais, la réponse étant cachée dans les entrailles électroniques de son téléphone, près de son cadavre. Elle avait accepté mon invitation parce qu'elle avait espéré quelque chose de notre rencontre. Ses attentes avaient été largement dépassées.

Je n'étais pas sorti acheter les journaux. Le lendemain, le nom d'Émilie Langevin, la chanteuse assassinée, accapara de nouveau mon attention. Il me rappelait quelqu'un ou quelque chose sans que je ne puisse l'associer à un événement précis. Souvent, au cours de la journée, ce nom revenait me hanter comme une petite blessure qui rappelle au corps sa présence. Et puis la visite des inspecteurs m'avait rendu fébrile. Au moindre bruit, je sursautais, me postais derrière la fenêtre du salon, guettant je ne sais trop qui, observant chaque auto qui passait. Je n'étais plus certain d'avoir convaincu les deux inspecteurs. J'avais gardé mon manteau tout le temps qu'ils m'avaient interrogé, une imprudence de ma part. Ce comportement leur avait à coup sûr paru louche. Pourquoi ne l'avais-je pas enlevé? J'avais quelque chose à cacher, c'était clair. Comme d'habitude, je ressassais des hypothèses, des raisonnements qui, au bout du compte, ne m'apportaient aucune lumière.

Un des deux inspecteurs, celui au petit carnet de notes, me donna un coup de fil quelques semaines plus tard. Non, je n'avais rien de nouveau à lui dire. Josiane Gravel demeurait un cas non résolu comme il y en avait tant dans cette ville, me dit-il.

De nombreuses fois, j'avais cru entendre la mélodie obsessive de la sonnerie du téléphone de Josiane Gravel monter de la cave. Je souffrais d'hallucinations auditives, affecté par les trop longs mois d'hiver que je venais de vivre pratiquement enfermé. J'avais maigri, alors que Jean exhibait une petite couche de graisse. Son visage avait retrouvé une rondeur enfantine. Il semblait heureux, m'obéissait au point que j'en étais ému aux larmes. Il répondait à quelques mots : « assis », « couché », « ouvre la bouche »... Je dormais plus souvent avec lui. Il se levait rarement de lui-même, attendant que je lui dise « debout » pour le faire. Il avait cessé de se plaindre par des gémissements. Ses yeux verts n'étaient plus vides, quelque chose d'affolant et d'attirant remontait à leur surface : la pointe glacée d'un désir.

Le printemps arriva. Je n'étais pas du genre à m'extasier sur cet événement, mais cette fois-ci la fonte des neiges eut sur moi un effet bienfaisant. Mon système nerveux n'était plus sans cesse aux abois, comme si j'avais réussi à tourner une page douloureuse.

Un incident mit toutefois fin à cette brève accalmie. J'étais au rez-de-chaussée en train de ranger la vaisselle du midi, quand j'entendis un bruit inhabituel, une sorte de longue plainte aiguë, presque le gémissement d'un bébé. Je montai en vitesse à l'étage, entrai dans la chambre de Jean. Il tenait dans ses mains un chat. L'animal avait dû entrer par la fenêtre que j'avais entrouverte le matin. Très vite, je m'aperçus que quelque chose clochait. Jean avait une expression que je ne lui avais jamais vue. Une sorte de joie étonnée. Et le chat pendouillait dans ses mains comme une chose molle. Je voulus le prendre, mais Jean me repoussa. Je le frappai et m'emparai du chat. Son corps était encore chaud. Après l'avoir enfoui dans un sac en plastique, je suis descendu le jeter à la poubelle.

C'était un petit chat tout noir, sûrement pas celui qui m'avait sauté au visage. Celui-là devait être immense.

« À la claire fontaine, un ange vint dormir. »

Peu de temps après, je me réveillai avec cette phrase dans la tête. Au cours des jours suivants, je n'arrivais plus à m'en débarrasser. Elle s'était incrustée dans mon esprit, tournant sans arrêt comme une toupie démente : « À la claire fontaine, un ange vint dormir… ange vint… ange vint dormir. » L'idée insensée que j'étais l'agresseur de Jean refit surface, s'accrochant à cette phrase obsédante comme une clochette ridicule. Plus je me raisonnais, plus je m'accusais : je l'avais aperçu au cimetière dans sa robe rouge. J'avais deviné au premier regard que c'était un homme, c'était trop évident : ces épaules fortes, ces jambes musclées. J'avais imaginé l'histoire des quatre cavaliers de l'Apocalypse. Pourquoi des cavaliers, pourquoi l'apocalypse ?

J'avais imaginé toute cette histoire pour ne pas voir ce que j'avais fait.

LE FRIGO

Changer le rythme de mes journées, trouver d'autres activités, voilà ce qui m'aiderait à me débarrasser de mes obsessions. Le soleil d'avril brillait derrière les fenêtres crasseuses de la maison. J'entrepris de faire le grand ménage du printemps : secouer les tapis, laver les rideaux, débarrasser les plafonds de leurs toiles d'araignée, repeindre…

Je commençai par ouvrir toutes les fenêtres. Un air frais circula dans les pièces, soulevant les rideaux et chassant la poussière. En peu de temps, l'odeur forte de la terre mouillée pénétra dans la maison. J'avais installé Jean au rez-de-chaussée. Assis sur le sofa du salon, il écoutait le chant étourdissant des moineaux. Je l'avais habillé de vieux vêtements à moi, une paire de jeans et un t-shirt blanc.

Par où commencer ? Les tapis, les fenêtres, le frigo ? Le frigo. Il n'avait pas été nettoyé depuis plusieurs années. Je le débranchai, le vidai complètement. Beaucoup d'aliments, oubliés dans des compartiments, étaient couverts de champignons. Je remplis une poubelle de bocaux au contenu incertain. Je fis une pause, le temps que la section du congélateur dégèle, et allai retrouver Jean au salon. Il n'avait pas bougé. Je lui dis « debout ». Il se leva et ouvrit la bouche. L'heure de son repas du midi étant largement dépassée, il s'attendait à ce que je lui donne à manger. Un écureuil grimpa sur le rebord de la fenêtre. Il grignotait un morceau de pomme qu'il avait dû trouver dans une poubelle. Jean fit un pas vers lui. L'écureuil se figea. Jean fit un deuxième pas. L'écureuil, d'un bond, s'enfuit. Un déclic alors se produisit : « À la claire fontaine, un ange vint dormir. » Je venais de comprendre la raison de mon obsession !

Je ramenai Jean dans sa chambre. Après avoir refermé toutes les fenêtres, je sortis de la maison, démarrai l'auto et partis au cimetière. Pour trouver ce que je cherchais, je devais d'abord me rendre à la tombe de ma mère, même si je m'étais juré de ne plus y remettre les pieds.

Le soleil de l'après-midi brillait haut dans le ciel, et aucune tristesse ne pouvait, malgré les monuments funèbres, altérer la clarté vive de cette journée. Le cimetière offrait l'aspect d'une vaste mer de tombeaux d'où émergeaient des croix et des têtes d'anges. Des gens circulaient entre les tombes qu'ils fleurissaient. Certains avaient apporté de quoi nettoyer leur chapelle familiale. La première journée ensoleillée du printemps avait donné à beaucoup de monde le goût du grand ménage.

Planté devant la petite plaque de marbre où scintillait son prénom accouplé au nom de mon père — ANNE-MARIE TRUDEL —, je reconstituai les événements : je m'étais endormi sur la tombe de ma mère, des cris m'avaient réveillé, j'avais rampé jusqu'à une petite pente d'où j'avais aperçu les quatre cavaliers de l'Apocalypse. C'était pendant une nuit pluvieuse d'automne. Tout cela avait réellement existé, je ne l'avais pas imaginé.

Après quelques tentatives, je repérai la tombe que je cherchais. Cette nuit-là, en m'approchant du lieu de l'agression, un bruit m'avait fait tourner la tête. Un écureuil, qui grignotait une pomme de pin sur la tombe la plus proche, s'enfuit aussitôt. C'est à ce moment que j'avais lu de façon inconsciente l'inscription gravée dans la pierre : ÉMILIE LANGEVIN 1980 — 2001. L'écureuil de tout à l'heure, dont Jean s'était approché, avait déverrouillé ma mémoire avec son bond.

Émilie Langevin… ange vint… une chanteuse assassinée…

J'avais cru que l'ange de la phrase était le fantôme accusateur de celle que j'avais enterrée dans la cave. Ça m'avait semblé évident. J'avais tout faux. Josiane Gravel n'était pas l'ange de mon obsession. C'était la chanteuse assassinée, Émilie Langevin. Et je savais maintenant où j'avais vu son nom : sur la tombe où avait été agressé Jean.

Je ne retournai pas tout de suite à la maison ; j'avais besoin de réfléchir. Je traversai une partie de la ville, garai la voiture non loin du port. Je me dirigeai vers une promenade aménagée qui longeait le fleuve, j'avais aussi besoin d'espace. Je passai un long moment assis sur un banc. Je contemplais les mouettes qui tournoyaient dans le ciel ou se posaient près des poubelles publiques. Il y avait beaucoup de vent. Malgré la brutalité du soleil qui ne faiblissait pas, je gelais, les bras croisés sur mon ventre. Quelque chose me tracassait, m'immobilisant sur ce banc. Il y avait des milliers de tombes dans ce cimetière, le plus grand de la ville, peut-être de tout le pays. Cette tombe ou une autre, où était la différence? Pourtant, je n'arrivais pas à me convaincre qu'il n'existait pas de lien entre Jean et Émilie Langevin, deux victimes d'agression. L'une était morte assassinée, j'avais sauvé l'autre. De quel événement au juste avais-je été témoin, cette nuit-là?

Il fallait rentrer, Jean n'avait presque rien mangé de la journée. Assis dans la voiture, je changeai d'idée, me rendis au centre-ville et entrai chez un disquaire. Je demandai à un vendeur s'il connaissait une chanteuse du nom d'Émilie Langevin. Il me répondit que non. Plutôt soulagé par sa réponse, je décidai qu'il valait mieux oublier cette histoire.

De retour à la maison, je dus m'occuper en priorité du frigo. La section du congélateur était complètement dégelée, provoquant une flaque d'eau sale sur le plancher. Je nettoyai la cuisine, rangeai les quelques aliments encore comestibles dans le frigo. La journée tirait à sa fin. Le grand ménage du printemps serait pour une autre fois. Je n'en avais plus ni l'envie ni la force. Je préparai un bol de céréales pour Jean, le fis manger et me contentai de deux biscuits secs.

C'était plus fort que moi, le lendemain, j'entrai dans une librairie située à quelques minutes de la maison. On y vendait des livres mais aussi des disques et des babioles kitsch. Je fouillai dans les présentoirs, sans succès. Rien dans la section L qui s'approchât de Langevin. Je me renseignai auprès de la jeune fille derrière le comptoir. Le nom d'Émilie Langevin lui rappelait vaguement quelque chose. Je lui dis que la chanteuse avait été assassinée. Son visage s'alluma. Elle disparut derrière un rayon et revint, un CD dans les mains. Je l'achetai.

Émilie Langevin avait fait partie du groupe *Fatal Foetus*. Je ne connaissais rien au *gothic metal*. Un dépliant, à l'intérieur du CD, traçait un bref historique de ce style musical né au début des années 1990. J'appris peu de choses : atmosphère glauque, comportement autodestructeur, intégration d'une voix féminine dans un univers de sons métalliques et froids. J'écoutai le disque quelques minutes. C'était suffisant. La pochette me troubla surtout : quatre femmes, habillées de noir, en entouraient une autre portant un long manteau entrouvert sur son ventre nu : Émilie Langevin. Les cinq femmes avaient les cheveux longs et noirs. Leurs yeux étaient maquillés d'un trait sombre.

Fatal Foetus : ce nom m'angoissait autant que les titres de leurs chansons, plus ou moins tordus, parfois incompréhensibles. Je jetai le CD aux poubelles et me perdis dans le grand ménage du printemps en me jurant, cette fois-ci, de ne plus penser à tout ça.

LA PERRUQUE

La liste des ordres auxquels Jean réagissait s'allongeait chaque jour. Je lui disais «mange», il s'exécutait. Sans mes ordres, il demeurait passif. «Habille-toi, couche-toi, assois-toi...» La vie devenait plus facile. Il avait pris du poids et passait moins de temps à dormir. Les grandes chaleurs de l'été étaient arrivées. Elles rendaient les nuits difficiles. L'humidité de la ville avec son air pollué nous accablait le jour. J'aurais voulu emmener Jean dans un parc ou le faire asseoir sur la petite pelouse devant la maison, à l'ombre du vieux chêne. Je n'osais le faire, personne ne devait se douter qu'il vivait avec moi. Jean était condamné à demeurer caché, je ne voyais pas comment les choses auraient pu être autrement.

Je me pliais à ses goûts, mangeais ce qu'il aimait manger, surtout de la viande. Il m'arrivait de me contenter de ce qui restait dans son assiette. J'avais besoin de me sentir plus petit que lui et m'ingéniais à trouver tout ce qui pouvait m'abaisser. Pour chaque ordre que je lui donnais, j'aurais voulu m'infliger une blessure, histoire de compenser. Mais je résistais à cette tentation qui m'aurait conduit au désastre. Aussi en vins-je à accepter que Jean m'obéisse comme un petit animal. Je devais assumer cette particularité de notre relation. Il portait mes vêtements, je me lavais dans l'eau de son bain. Il devinait ce que je pensais et je pensais ce qu'il devinait.

À la suite de ma frénésie de nettoyage printanier, j'avais développé une passion irrépressible pour le ménage, auquel je consacrais désormais une grande partie de mon temps. Je découvrais sans cesse de la saleté, à croire qu'elle naissait d'une petite négligence, d'une absence de quelques heures, d'une inattention bénigne. Je lavais la salle de bains chaque jour, enlevais la poussière des abat-jour chaque semaine, nettoyais même les ampoules. J'entrepris de débarrasser les tiroirs de la cuisine de leur couche de crasse. J'y dénichai des résidus de nourriture, des insectes desséchés, même un cadavre de souris momifié. Je passai des heures à nettoyer l'espace de rangement sous l'évier. Je dormais mieux. L'été s'était terminé sans incident. Pas de nouvelles des inspecteurs de police. Personne n'était revenu sonner à ma porte pour me questionner au sujet de Josiane Gravel. Personne ne l'avait aperçue chez moi.

Je me réjouissais du changement corporel de Jean, de la vitesse avec laquelle ses joues, son ventre, ses fesses avaient quitté leur aspect décharné. Je dus lui acheter des vêtements, il n'entrait plus dans les miens. Malgré tous ces progrès étonnants, je devais encore lui mettre des couches. Un jour, en les rangeant dans la commode, je tombai sur la perruque que j'avais prise pour un animal. Elle était toujours dans son sac de plastique, dissimulée sous des draps. J'allai à la salle de bains et, devant le miroir, l'essayai.

«Bonjour. Comment t'appelles-tu? C'est un secret. Comment vas-tu aujourd'hui? Je vais très bien. Et pourquoi? Parce que la vie est belle. Merci de ta réponse. Je ne pourrais pas en imaginer de plus vraie. Est-ce que tu aimes quelqu'un? Je ne veux pas te répondre. C'est clair que tu aimes quelqu'un. Mais regarde-toi. Quoi? Ton visage.»

Mon visage.

Était-ce celui de ma mère que je venais de reconnaître dans le miroir? J'enlevai la perruque, descendis au rez-de-chaussée pour la jeter à la poubelle. Au moment où j'allais le faire, je remarquai une petite étiquette cousue sur le revers de la perruque où deux mots étaient écrits à l'encre violette: *Fatal Foetus*. J'avais la sensation de tenir dans ma main un animal visqueux, sans yeux mais omniscient, prêt à me mordre la tête et à absorber tout ce qui grouillait à l'intérieur.

LE CAPORAL

Je sortis racheter le disque de *Fatal Foetus*. J'examinai avec plus d'attention la photo de la pochette : les cinq membres du groupe portaient en fait des perruques, toutes identiques à celle que j'avais en ma possession. Un lien existait hors de tout doute entre Jean et Émilie Langevin. Le ver avait atteint le cœur de la pomme. J'en savais déjà trop, et trop peu à la fois. Cette découverte venait de faire céder les digues de mon système de protection, lequel nous avait jusque-là maintenus, Jean et moi, dans une symbiose parfaite.

Je me rendis à la bibliothèque municipale où, après une brève recherche, je trouvai un article mentionnant qu'Émilie Langevin avait été assassinée en septembre, deux ans auparavant. Je me concentrai sur cette époque. En quelques clics, les renseignements s'accumulèrent : Émilie Langevin avait eu le vagin et l'anus déchirés, probablement par un couteau, et il lui manquait un œil. Elle était morte au bout de son sang. Le caporal Alex Lévis, son ex-fiancé, avait été suspecté du meurtre, mais aucune preuve n'avait pu être retenue contre lui. Il avait été relâché après quelques jours. Un an auparavant, Alex Lévis était revenu fortement perturbé du Kosovo, où il avait fait partie des forces de l'OTAN. À son retour, Émilie Langevin lui avait fait comprendre que leur liaison n'était plus possible. Sa carrière de chanteuse avait pris son envol et occupait tout son temps. Le caporal l'avait menacée vaguement avant de disparaître de sa vie.

En fouillant dans des journaux plus récents, je tombai sur une série d'articles faisant état de la disparition du caporal Alex Lévis. L'idée qu'il s'agissait d'un suicide revenait à quelques reprises. Un article avançait, sans aucun indice pour justifier une pareille hypothèse, qu'il s'était jeté dans les eaux du fleuve. Et puis j'eus sous les yeux une photo du caporal : c'était Jean.

Je sortis de la bibliothèque, livide. Je marchai pendant des heures, en tournant en rond dans les mêmes rues. La dizaine d'articles que je venais de lire sur un écran formaient derrière mon front un brouillard lancinant. Le soir arriva. J'entrai dans un bar rempli d'étudiants fraîchement revenus de vacances. Ça se sentait rien qu'à voir leur peau bronzée, leur excitation de se retrouver en troupeau. Je commandai une bière, puis une autre et encore une autre. J'en détestais le goût mais j'aurais bu toute la nuit, entouré par ces jeunes bourrés d'avenir, englouti par le bruit de leurs corps insouciants. Aidé par l'alcool, je revoyais les quatre cavaliers de l'Apocalypse émerger de la nuit et s'acharner sur celui dont je connaissais depuis ce soir l'identité. Quelque chose clochait. Des anges justiciers, pas du tout apocalyptiques, voilà ce qu'ils avaient été. J'avais assisté à une scène de vengeance : ces quatre hommes avaient tabassé le caporal Alex Lévis pour venger l'assassinat d'Émilie Langevin. Pour eux, il était le meurtrier de la chanteuse sans aucun doute possible.

Mais qui étaient ces quatre hommes?

Une illumination me traversa. Ce n'étaient pas des hommes que j'avais aperçus dans la pénombre du cimetière mais des femmes: les membres de *Fatal Foetus*! Comme un policier obsédé, je reconstituais le fil des événements, déroulais les scènes, les reprenais, l'alcool faisant naître dans mon esprit des détails sordides: les quatre musiciennes, vêtues d'uniformes militaires, kidnappent le caporal sous la menace d'un revolver. Elles le déshabillent, l'attachent, le maquillent outrageusement, lui font revêtir la robe et la perruque portées par Émilie Langevin, l'enferment dans le coffre d'une auto avant de se rendre au cimetière.

Si je ne m'étais pas endormi, j'aurais assisté à tout: le caporal traîné jusqu'à la tombe d'Émilie Langevin, humilié, souillé, embroché jusqu'au fond de son âme afin qu'il vive l'horreur du viol qu'il a fait subir à sa victime et, pour finir, piétiné à coup de bottes et laissé pour mort, en espérant que le fantôme de la chanteuse de *Fatal Foetus* ait apprécié le spectacle.

Je sortis du bar en vacillant. J'étais ivre pour la première fois de ma vie. Dans l'auto, je fignolais les actes dégradants qu'avait subis l'homme que j'allais retrouver à la maison. Le préservatif, oui, pour l'humilier, elles avaient dû le lui enfoncer dans la gorge avec la branche. Pas de limite à la vengeance! Qu'il crève, le violeur, le sadique! J'en avais la nausée.

Je garai l'auto sous les hauts feuillages du chêne, dépité de ne pas avoir trouvé le courage de foncer sur la masse lugubre de son tronc. Avant d'entrer, je vomis. Écœuré, j'ouvris la porte. Jean se tenait devant moi. Il avait cassé sa chaîne. L'assassin d'Émilie Langevin souriait.

Il me terrifiait.

Je me réfugiai dans ma chambre. La tête me tournait. Je me couchai tout habillé et m'endormis avant de fermer les yeux.

La pluie, tombant comme des couteaux sur le toit, me réveilla. J'allai à la fenêtre. La rue s'était métamorphosée en un ruisseau nerveux qui dévalait vers le centre-ville. J'avais encore un goût de vomi dans la bouche, et ma tête me faisait souffrir. J'allai à la salle de bains me rafraîchir. Il y avait du sang dans le lavabo. Je me rendis compte qu'il y en avait aussi sur le plancher. Je sortis de la pièce et descendis l'escalier où les traînées de sang me conduisirent au salon.

Jean se tenait à genoux, du sang traçait des filets sinueux sur ses bras et ses cuisses, dégoulinant sur le tapis où ils faisaient naître de nouveaux motifs. Je me figeai, le regardai sans comprendre.

Edgar ! Edgar !

Quelqu'un m'appelait par mon nom. Je me retournai mais ne vis personne.

Edgar ! Edgar !

J'entendis encore mon nom : c'était Jean qui m'appelait. Pour la première fois, j'entendais sa voix. Elle était en moi, résonnant dans les os de mon crâne. Il avait fouillé dans ma mémoire, retrouvé le chemin de mes cicatrices, m'offrait ses blessures pour soigner les miennes. Il ouvrit les bras et j'allai m'y réfugier.

La pluie tombait si fort, la maison paraissait si vulnérable... Pourtant, je ressentais une force immense, nouvelle, frissonnant entre ses bras. Il savait tout. J'avais douté de lui, il apaisait mon âme avec la révélation de son innocence. Il l'avait fait avec le seul moyen à sa disposition : son sang. Je m'en voulais, moi qui devais le protéger, j'étais aussi tombé dans le piège. Jean était un agneau, pas un bourreau. Un enfant sans défense dans un corps d'adulte.

Il avait tout contre lui, c'était évident. Il était le suspect idéal et, pour cette raison, justement, ne *devait* pas être le coupable. Je comprenais ce qui s'était passé : on l'avait piégé.

La vérité se cachait dans les chansons noires, dégoûtantes de *Fatal Foetus,* où il était question de sexe bestial, de rituels infâmes, le tout enrobé d'une musique criarde, agressive. Le nom du groupe était d'ailleurs évocateur. Que signifiait-il sinon que ses musiciennes portaient en elles le germe du mal ? Émilie Langevin avait été tuée lors d'une orgie qui avait mal tourné. Et qui sait si elle n'avait pas provoqué elle-même son horrible fin ? Jean avait démasqué les quatre musiciennes et s'apprêtait à les dénoncer. Elles étaient passées à l'action en simulant un acte de vengeance pour s'assurer qu'il soit considéré coupable de façon définitive. C'était si évident!

Les mois qui suivirent furent les plus heureux de ma vie. J'étais libéré de moi, me consacrant entièrement au bien-être de Jean. Il était mon enfant et, pendant de brefs instants, blotti dans ses bras, je devenais le sien.

Je n'avais qu'un souci : l'argent. L'héritage de ma mère tirait à sa fin, je n'arriverais plus à payer les comptes. L'hiver approchait, le chauffage me coûtait cher. L'appétit de Jean ne faisait que s'accroître. Je devrais tôt ou tard me résigner à trouver un emploi. J'imaginais mal laisser Jean toute la journée seul à la maison. Je me levais certains matins avec l'idée d'acheter des billets de loterie. Je rêvais sans y croire à des vols de banque. J'en étais réduit à ramasser des circulaires et à noter les produits vedettes de la semaine ! La moindre économie constituait une petite victoire. Je tombai ainsi sur la publicité d'une chaîne de pharmacies annonçant un rabais sur les couches pour adultes. Ce produit, décidément, devenait de plus en plus populaire. À ma grande honte, je pris aussitôt la voiture pour ne pas rater cette aubaine inusitée. J'achetai une bonne provision de couches. Dans la file où j'attendais mon tour pour payer, mon regard fut attiré par la première page d'un grand quotidien disposé sur un présentoir. Le journal titrait à la une, en grosses lettres :

UN ŒIL DANS SON CONGÉLATEUR

Une photo accompagnait ce titre sensationnel : on y voyait une femme, un pied à l'intérieur de sa maison et l'autre sur son balcon. Elle était sortie en robe de chambre pour éloigner les journalistes ou pour répondre à leurs questions, comment le savoir ? Elle avait été photographiée avec une expression hagarde. Sous la photo, je lus : «Madame Lévis a trouvé hier matin dans son congélateur un œil humain.»

Je pris une copie du journal, passai à la caisse avec mes couches, payai et m'enfuis comme si j'étais moi-même le monstre qui avait découpé l'œil.

Les jours suivants, j'achetai différents journaux pour suivre l'histoire dans tous ses détails. J'allumai même la télé, ce que je ne faisais plus depuis des mois. C'était officiel, on avait fait les tests, l'œil était celui d'Émilie Langevin. La pièce manquante était retrouvée. Madame Lévis avait eu la surprise de sa vie en le découvrant dans un écrin pour bague. Elle expliqua aux policiers qu'elle ignorait à quel moment précis son fils avait pu le dissimuler dans le congélateur. L'œil pouvait se trouver là depuis plus de deux ans. À son retour du Kosovo, traumatisé, le caporal Alex Lévis était retourné vivre avec elle un certain temps avant de disparaître sans laisser d'adresse. Son mari étant décédé une dizaine d'années auparavant, elle vivait seule depuis et travaillait dans un petit commerce de toilettage pour chiens dont elle était la copropriétaire. Elle n'avait rien d'autre à révéler.

Pourquoi le caporal avait-il tué et éborgné son ex-fiancée ? Pourquoi avait-il conservé l'œil ? Et que faisait celui-ci dans le congélateur de sa mère ? Voilà les questions qu'affichaient en lettres grasses les journaux.

Le complot prenait de l'ampleur. On s'acharnait de nouveau contre Jean. Il était pratique d'accuser quelqu'un qu'on croyait s'être suicidé, quelqu'un qu'on croyait en train de pourrir au fond d'un fleuve. On voulait surtout fermer le dossier une fois pour toutes. J'étais la seule personne à savoir ce que les membres de *Fatal Foetus* avaient fait subir à Jean. Il n'y avait pas de doute dans mon esprit : ces quatre femmes s'étaient débrouillées pour dissimuler l'œil dans le congélateur de la mère du caporal. L'idée d'écrire une lettre anonyme à la police pour les dénoncer me hantait, mais c'était trop risqué. De toute façon, je ne pouvais fournir aucune preuve sans me démasquer moi-même. Il était préférable que je classe moi aussi le dossier Émilie Langevin.

Durant la semaine où ces révélations calomnieuses se multipliaient, un journal diffusa une autre photo de madame Lévis. On la montrait cette fois-ci devant son lieu de travail. Elle affichait le même air hagard. À sa gauche se trouvait l'enseigne de son commerce, le Câlin canin. À sa droite, dans la vitrine qu'elle cachait partiellement, une pancarte « Personnel demandé » attira tout de suite mon attention. Je me tournai vers Jean en train de manger et, à ma propre stupéfaction, lui annonçai que j'allais bientôt travailler pour sa maman. J'eus alors le sentiment qu'il avait parfaitement saisi ce que je venais de lui dire.

Je trouvai l'adresse du Câlin canin dans les Pages jaunes. Je ne possédais aucune expérience dans le domaine des soins prodigués aux chiens. Je ne soupçonnais même pas qu'on pût trouver ce genre de service en ville. Sans pouvoir l'expliquer, j'étais pourtant persuadé que j'obtiendrais le poste, que dorénavant Jean et moi pourrions survivre grâce à l'argent de sa mère et à mes compétences innées dans le toilettage pour chiens.

LES CHIENS

La pièce qui servait de bureau à madame Lévis était éclairée aux néons; ses murs étaient tapissés de photos glorifiant l'univers canin, et elle sentait le renfermé et la sueur. La mère de Jean avait toujours cette expression hagarde que je lui avais vue sur les photos, à croire que l'angoisse avait sculpté les os de son visage. Le vert lumineux de ses yeux, semblable à celui de son fils, me frappa tout de suite. J'étais étonné qu'elle me reçoive aussi vite malgré les circonstances entourant les accusations portées contre son fils, me proposant un rendez-vous le lendemain de mon appel téléphonique. Je la trouvai plutôt chaleureuse. Sans doute l'était-elle davantage avec les étrangers qu'avec ses proches. J'aurais voulu lui demander pourquoi elle avait alerté la police, pourquoi elle n'avait pas plutôt jeté l'œil dans les toilettes. Elle savait bien que cette découverte allait incriminer son fils. Je ne comprendrais jamais rien au fonctionnement des mères. Elle avait peut-être voulu en finir une fois pour toutes avec cette histoire. Faire table rase. Faire son devoir. Dénoncer le monstre qu'elle pensait avoir mis au monde, se nettoyer le ventre pour de bon. Après tout, ma propre mère s'était exercée à me noyer.

Elle me parla longuement de son amour pour les animaux, le seul, selon elle, qui soit purement désintéressé. Et c'est dans son petit bureau étouffant que je réalisai que Jean avait eu le malheur de ne pas être né chien. C'est en écoutant madame Lévis parler d'espèces en voie de disparition, d'injustice faite aux animaux, de leurs droits bafoués, de la méchanceté des hommes envers eux, de l'exploitation éhontée et sans bornes dont ils étaient victimes, que je me jurai d'être la mère qu'il n'avait jamais eue.

Du jour au lendemain, j'avais un travail, un salaire. Madame Lévis m'avait pris à l'essai pour deux mois. Je suivis un entraînement avec la copropriétaire du commerce, madame Bellavance. Elle me montra comment me comporter avec les chiens, m'expliqua l'utilisation des produits conçus spécialement pour eux, m'énuméra les différents traitements offerts. Après une semaine, j'avais exécuté seul mon premier toilettage et, la semaine suivante, ma première tonte, celle d'un caniche. Au début, madame Bellavance se montra très sceptique à mon endroit. Je ne correspondais pas au profil habituel. C'était surtout un emploi que des jeunes occupaient pendant leurs études. Je me comportai avec elle comme un étudiant servile, plein d'attention. Comme elle aimait les gens plus faibles qu'elle et ne supportait pas d'être contredite, je faisais exprès de lui paraître idiot. Je voulais à tout prix garder cet emploi ; je me pliais donc à ses caprices et à ses sautes d'humeur. Elle paraissait plus jeune que moi, mais j'étais certain qu'elle avait quelques années en plus. Sa méfiance à mon égard s'éclipsa rapidement. À peine un mois après mon embauche, elle me complimenta sur mon travail devant madame Lévis. Elle me trouvait doué, allant jusqu'à dire que j'entretenais une relation authentique avec les chiens. C'était vrai, je me sentais à l'aise avec eux, qu'ils soient gros ou petits, dociles ou têtus.

Le Câlin canin était situé complètement dans l'est de la ville. Je mettais en auto pas loin d'une demi-heure pour m'y rendre. Je partais le matin à huit heures et ne revenais que vers dix-huit heures. Il n'était pas question que je rentre à la maison pour préparer à Jean son repas du midi. J'avais dû innover. Je me procurai un collier et une longue chaîne en métal plus solide que la précédente pour l'attacher de façon à ce qu'il ne s'éloigne pas de son lit. Avant de partir au travail, je disposais sur le plancher de sa chambre nourriture et eau en grande quantité. Les samedis, j'étais si exténué que je dormais une partie de la journée. Après quelques mois, je trouvai mon rythme. Toutefois, Jean m'obéissait moins depuis que je travaillais. Il se sentait délaissé. Je comprenais son changement d'attitude, mais je n'avais pas le choix.

Il prenait du poids avec une rapidité étonnante, ce qui finit par me causer des problèmes pour le laver lorsqu'il s'entêtait à demeurer couché plusieurs jours d'affilée. Je n'arrivais plus à le soulever. Je décidai de le mettre au régime, diminuant de façon progressive la quantité de nourriture que je déposais sur le plancher. Je partis au travail un matin en ne lui laissant qu'un bol d'eau et un peu de riz. À mon retour, une odeur d'excréments d'une violence inhabituelle m'accueillit. Je montai à l'étage. Jean avait déchiré les draps de son lit, renversé les meubles qu'il avait pu attraper, cassé ce qui pouvait l'être. Il s'était coupé avec les éclats de la lampe en céramique posée sur la commode. Sa merde, son urine, son sang recouvraient les murs, les débris. En m'apercevant, il s'était mis à rire. Je n'avais jamais vu Jean rire.

Le lendemain, je me déclarai malade, nettoyai et réparai ce qui pouvait l'être, vidai le frigo et montai tout ce qu'il contenait à la chambre. Jean avala tout sans prendre le temps de respirer. Il y avait une telle lumière dans ses yeux quand il ingurgitait la nourriture qu'un frisson me déchira l'âme.

Chaque jour où je me rendais au Câlin canin, je savourais le moment où je saluais madame Lévis dans son petit bureau. Pendant les sept années que je passai à travailler pour elle, elle ne soupçonna jamais qui j'étais réellement, ne sut jamais qu'entre elle et moi il y avait ce Christ obèse qui mangeait nos vies… Jusqu'à ce jour où tout bascula.

J'avais terminé ma journée de travail, je ne pensais à rien, en fait, si, je pensais à quelque chose, je me demandais si j'étais heureux. Je me disais que je l'étais. Ma vie avait un sens : j'aimais Jean, j'en retirais un étrange calme, une sorte d'anesthésie. Il vivait dans mes pensées, je ne pouvais plus rien lui cacher. Ma vie, comme une route infinie, ne conduisait nulle part mais ne générait aucune angoisse. Oui, c'est peut-être cela que j'étais en train de me dire quand je brûlai un feu rouge comme on passe d'une idée à une autre.

Je repris conscience dans un lit d'hôpital. J'appris par la suite qu'un camion de livraison m'avait percuté sur le côté. Le conducteur n'avait pas été blessé. Mon auto était une perte totale. J'avais subi une commotion cérébrale sévère et des blessures mineures à l'épaule. J'étais amorphe mais, depuis que j'étais sorti du coma, une seule et unique pensée m'obsédait, m'empêchant de me laisser aller à la torpeur des tranquillisants : je devais m'enfuir de l'hôpital pour aller

m'occuper de Jean. J'étais en pleine panique.
Il y avait quatre jours déjà qu'il était seul,
enchaîné dans sa chambre, affamé et assoif-
fé. J'avais beau essayer de me lever de mon
lit, c'était peine perdue. Je perdais l'équilibre,
mes jambes disparaissaient sous moi, une
douleur atroce à la tête me ramenait à l'hori-
zontale. Je dus me résoudre à attendre
encore un jour, puis un autre, mais mon état
ne s'améliorait pas. C'était infernal, Jean était
en danger. Je n'avais plus le choix, j'appelai
madame Lévis, lui expliquant rapidement les
raisons de mon absence au travail. Elle me
proposa tout de suite de venir à l'hôpital. Je
l'arrêtai, il y avait quelque chose de plus
important à faire : se rendre sans tarder chez
moi pour s'occuper de mon chien.

Je n'avais pas trouvé d'autre façon d'ame-
ner cette femme à retrouver son fils, à le sauver, alors qu'elle le croyait mort depuis des
années. Si je lui avais dit la vérité, elle m'aurait traité de fou, n'aurait rien compris. Le
temps pressait. En l'informant qu'un chien
était en train de crever de soif chez moi, attaché à une chaîne, je le savais, elle se précipi-
terait aussitôt à son secours. Elle n'avait qu'à
passer par la porte située derrière la maison.
Une clé était cachée sous une boîte à fleurs,
elle la trouverait facilement.

Je raccrochai le téléphone en laissant jaillir
mes larmes jusque-là bloquées par l'angoisse.
Qu'aurais-je pu faire d'autre pour sauver
Jean ? Qui d'autre aurais-je pu appeler ? Elle
reconnaîtrait son fils malgré sa longue barbe
et son obésité. Elle en aurait pitié, comprendrait sa souffrance, réaliserait enfin qu'il était
innocent. Elle partagerait notre secret. Je

perdis conscience avant de terminer le Notre Père commencé dans l'espoir que tout se passerait comme je venais de l'imaginer.

Je sortis de l'hôpital quatre jours plus tard, contre l'avis du médecin qui insistait pour me garder encore sous observation. J'avais récupéré sur le plan physique, alignant quelques pas sans perdre l'équilibre ni être terrassé par la nausée. Mais un tourment indescriptible me tordait le cœur : madame Lévis ne m'avait pas donné signe de vie depuis mon appel téléphonique. J'avais essayé sans succès de la joindre sur son portable. Je me rassurais en justifiant son silence par sa stupéfaction d'avoir retrouvé son fils. Elle était sous le choc et avait besoin de temps pour en parler. Puis, j'imaginais le pire : elle était arrivée trop tard, ne découvrant qu'un cadavre refroidi. Dans mon délire, aucun de ces scénarios ne tenait la route longtemps, d'autres prenant le relais. Madame Lévis ne m'appelait pas parce qu'elle me soupçonnait d'avoir kidnappé son fils. Ou, le croyant toujours coupable, elle l'avait fait emprisonner. On avait fouillé la maison, trouvé le cadavre de Josiane Gravel dans la cave. Des policiers, d'une minute à l'autre, allaient faire irruption dans ma chambre d'hôpital et me soutirer des aveux.

Ou encore, Jean avait retrouvé l'usage de la parole devant sa mère, lui avait expliqué son agression dans le cimetière, mon dévouement à son endroit, mon amour, tout finirait comme dans le meilleur des mondes… J'en devenais confus, je délirais, passant en quelques minutes du désarroi le plus cruel à l'euphorie la plus vaine.

Je m'étais empêché depuis le début d'appeler au Câlin canin, craignant de mêler madame Bellavance à cette histoire. Mais, à bout de nerfs, la veille de ma sortie, je risquai un appel et tombai sur un message enregistré informant les clients que les services offerts par le Câlin canin étaient suspendus pour une durée indéterminée. Quelque chose avait mal tourné.

Dans le taxi qui me ramenait chez moi, je tremblais de froid. C'était pourtant une journée d'été chaude et ensoleillée. J'avais demandé au chauffeur de fermer les fenêtres de l'auto. J'observais les gens sur les trottoirs. Ils débordaient de bonheur, à croire qu'ils faisaient tous partie d'un film sur la joie de vivre ou qu'ils s'étaient mis d'accord pour comploter contre moi en me signifiant avec leurs sourires et leurs démarches légères que je ne faisais pas partie de leur monde de lumière et d'insouciance.

Le taxi parti, je demeurai un long moment sur le seuil de la maison, la peur au ventre. J'entrai, tendis l'oreille, jetai un rapide coup d'œil autour de moi. Tout semblait normal, ce qui, curieusement, augmenta mon angoisse. Je montai à l'étage, collai mon oreille contre la porte de sa chambre : je n'entendais absolument rien. J'en étais à présent convaincu, Jean était mort, madame Lévis n'était pas venue. J'entrouvris la porte, la chambre était inondée de soleil. Je fis un pas, aveuglé. Son corps reposait sur le lit. Il paraissait énorme, baigné dans cette surabondance de lumière. Il était beau, parfait, intact. La mort n'avait pas corrompu son corps. Je pensai à ma mère et à la béatifiée qui l'avait tant impressionnée à Rome. Moi aussi, j'avais droit à un miracle. En m'approchant, je remarquai qu'il n'avait plus sa chaîne. Au moment précis où ce détail me frappa, Jean ouvrit les yeux et me regarda. Je compris tout de suite qu'il s'était produit quelque chose d'effroyable.

Je descendis en vitesse au rez-de-chaussée, sortis par la porte de derrière. La clé ne se trouvait plus sous la boîte à fleurs. Je courus à la cuisine, ouvris une armoire, il n'y avait plus aucune nourriture sur les étagères. Je fouillai dans la poubelle près de l'évier, trouvai un tas de conserves vides. En ouvrant le frigo, je ne pouvais plus me mentir, je savais ce qui m'attendait, je l'avais *vu* dans les yeux de Jean, tout à l'heure.

Le frigo était vide. Ne demeurait qu'une petite assiette sur laquelle, étonnamment vif, scintillait l'iris vert d'un œil.

Je me précipitai à la cave. Le corps de madame Lévis se trouvait sur les sacs-poubelles contenant les affaires de ma mère. J'écartai les sacs, creusai à l'endroit où je l'avais fait des années plus tôt, jetai le cadavre mutilé de madame Lévis sur celui de Josiane Gravel, passablement décomposé. Ça m'avait pris beaucoup de temps, j'étais faible, mon épaule me faisait souffrir et je devais après chaque coup de pelle reprendre mon souffle. Quand je remontai de la cave, Jean m'attendait dans la cuisine. Il avait faim. Étourdi, le corps mouillé de sueur, je sortis acheter de la nourriture.

L'œil demeura plusieurs jours dans le frigo. Puis je finis par le jeter dans les toilettes. En le regardant disparaître dans le tourbillon d'eau, je sentis que je venais d'y jeter aussi mon âme. S'il existait un centre secret en chaque personne, lieu sacré et inatteignable pour les autres, Jean s'était emparé du mien, y avait planté sa croix. Je n'avais plus de volonté propre ; Jean et moi ne formions désormais qu'une seule personne, mais c'était lui qui donnait les ordres. Je les recevais sans qu'il ait besoin de prononcer un seul mot et je mettais toute mon énergie à leur obéir. Depuis mon retour, au lieu de le frapper jusqu'à ce qu'il crève, je m'étais occupé de lui comme d'habitude, sans le haïr, sans en avoir honte, sans cesser de l'aimer. Je lui donnais à manger tout ce qu'il voulait et autant qu'il voulait. J'avais coupé ses cheveux et sa barbe, rasé son crâne. Je me surprenais à reconnaître dans ce Christ de viande, dans ce visage bouffi et mis à nu, le mal que j'avais introduit dans la maison, nourri et protégé, le mal que j'avais pris pour de la souffrance. Mon aveuglement à son sujet me semblait impensable. Jean était coupable de tout ce qu'on l'accusait. Dans le reflet de ses yeux verts tremblait comme une flamme la vision d'autres crimes qu'il avait commis.

Le caporal Alex Lévis avait eu une longue carrière dans le viol et le meurtre. Émilie Langevin n'avait pas été la seule. D'autres femmes avaient péri de sa main, sauvagement mutilées. C'était ce que je réalisais dans une froide hébétude. Parfois, mes souvenirs vacillaient, je n'arrivais plus à savoir si c'était lui ou moi qui avait tué à coups de couteau

Josiane Gravel, moi ou lui qui avait tué sa mère.

Que ta volonté soit faite...

La disparition de madame Lévis avait créé un émoi médiatique. Après le fils, c'était au tour de la mère de disparaître sans laisser de traces. L'enquête policière n'aboutissait à rien. Madame Bellavance avait repris le commerce à son compte après une courte période de fermeture. Les séquelles de ma commotion s'estompèrent, me laissant malgré tout aux prises avec des maux de tête récurrents. Je retournai travailler au Câlin canin quelques semaines après mon accident. C'était plus difficile qu'avant, nous n'étions que deux à faire tout le travail. Madame Bellavance avait perdu son assurance habituelle et comptait de plus en plus sur moi pour l'épauler.

Donne-nous aujourd'hui notre pain de ce jour...

Mes heures de travail augmentaient, sans que mon maigre salaire en fasse autant. J'avais beaucoup de difficulté à boucler mon budget. La voracité de Jean prenait chaque jour des proportions qui sortaient de l'ordinaire. Il n'y avait plus de limites à sa goinfrerie. S'il ne dormait pas, il mangeait. Je rapportais des quantités astronomiques de surgelés, des frites surtout, que Jean engouffrait par paquets. Mes temps libres étaient consacrés à l'achat et à la préparation de la nourriture. J'achetais tout en gros pour économiser : des poulets congelés, des quartiers de bœuf entiers, des jarres de confitures ou de mélasse, des stocks de pizzas et de hamburgers congelés, des œufs par centaines, des caisses de bananes... Plusieurs vendeurs pensaient que je ravitaillais un restaurant. En quelques années, Jean accumula une masse de gras impressionnante. Son obésité me fascinait comme si elle le libérait de l'humanité. Ses jambes devinrent si volumineuses qu'elles demeuraient écartées comme les pattes d'une grenouille. La graisse avala son cou, ses avant-bras. Son sexe n'était plus visible, enfoui dans un magma de plis. Il ne se levait plus, devenu trop lourd. Je solidifiai son lit, qui risquait de s'écrouler, installai un système de poulies pour soulever une partie de son corps, ce qui me permettait de le laver convenablement. J'avais abdiqué devant les plaies de lit, il en était recouvert. Certains endroits de son corps semblaient même nécrosés. Jean n'habitait plus la chambre, il *était* la chambre. Pour le sortir de la maison, il aurait fallu abattre le chêne devant la façade, détruire la fenêtre et une partie du mur, louer une grue. J'étais devenu une mère nourricière prisonnière de son monstrueux enfant.

Pardonne-nous nos offenses...

Ma mère avait voulu me tuer, elle aurait dû aller au bout de son geste. Madame Lévis avait porté dans son ventre un fœtus fatal, elle aurait dû le jeter dans les toilettes. Notre naissance ne valait pas la mort d'un chien.

Comme nous pardonnons aussi à ceux qui nous ont offensés...

Un jour, je surpris madame Bellavance en pleurs. Quand elle m'aperçut, elle se jeta dans mes bras. Pendant un moment, je ne sus comment me comporter. Je finis par comprendre, elle voulait que je la réconforte. Je la tenais contre moi de façon si maladroite qu'elle se détacha brusquement. Pour dissiper le malaise qui venait de s'installer, je lui demandai ce qui n'allait pas. Elle me confia que son commerce courait à la catastrophe si elle ne faisait rien pour améliorer le service. La clientèle diminuait, la concurrence se développait sans arrêt. Le système d'aération fonctionnait au ralenti, il régnait en permanence dans les locaux une odeur peu invitante. Il faudrait remplacer la tuyauterie désuète, tout repeindre, tout rénover. Elle n'avait pas l'argent pour financer les travaux. Et puis, elle se sentait seule depuis son divorce. Sa fille s'était mariée et habitait à présent avec son mari à l'étranger. La disparition de madame Lévis l'avait perturbée. La vie lui faisait peur. Elle n'avait plus que moi.

Le lendemain, madame Bellavance me proposa de m'associer avec elle. Je demanderais un prêt, pourrais hypothéquer ma maison. Les travaux de rénovation débuteraient aussitôt. Dans peu de temps, tout irait mieux. Elle m'appréciait beaucoup, avait confiance en moi. J'étais un homme sérieux, rigoureux, aimable. Un homme discret, un homme secret. Nous pourrions nous rapprocher, mieux nous connaître. En dehors de notre dévouement pour les chiens, que savions-nous l'un de l'autre? Elle ne soupçonnait pas à qui elle avait affaire. Je serais son sauveur. Malheureusement pour elle.

Notre Père qui es aux cieux… Délivre-nous du mal…

Cette prière n'était qu'une mauvaise farce. Je ne pouvais plus être délivré.

Trop tard.

DÉJÀ PARUS CHEZ ALTO

Nicolas DICKNER
Nikolski

Clint HUTZULAK
Point mort

Tom GILLING
Miles et Isabel ou
La belle envolée

Serge LAMOTHE
Le Procès de Kafka et
Le Prince de Miguasha
(théâtre)

Thomas WHARTON
Un jardin de papier

Patrick BRISEBOIS
Catéchèse

Paul QUARRINGTON
L'œil de Claire

Alexandre BOURBAKI
Traité de balistique

Sophie BEAUCHEMIN
Une basse noblesse

Serge LAMOTHE
Tarquimpol

C S RICHARDSON
La fin de l'alphabet

Christine EDDIE
Les carnets de Douglas

Rawi HAGE
Parfum de poussière

Sébastien CHABOT
Le chant des mouches

Marina LEWYCKA
Une brève histoire du tracteur
en Ukraine

Thomas WHARTON
Logogryphe

Howard MCCORD
L'homme qui marchait sur la
Lune

Dominique FORTIER
Du bon usage des étoiles

Alissa YORK
Effigie

Max FÉRANDON
Monsieur Ho

Alexandre BOURBAKI
Grande plaine IV

Lori LANSENS
Les Filles

Nicolas DICKNER
Tarmac

Toni JORDAN
Addition

Rawi HAGE
Le cafard

Martine DESJARDINS
Maleficium

Anne MICHAELS
Le tombeau d'hiver

Dominique FORTIER
Les larmes de saint Laurent

Marina LEWYCKA
Deux caravanes

Sarah WATERS
L'Indésirable

Hélène VACHON
Attraction terrestre

Steven GALLOWAY
Le soldat de verre

Catherine LEROUX
La marche en forêt

Christine EDDIE
Parapluies

Marina LEWYCKA
Des adhésifs dans le monde
moderne

Lori LANSENS
Un si joli visage

Karoline GEORGES
Sous béton

Annabel LYON
Le juste milieu

Dominique FORTIER
La porte du ciel

David MITCHELL
Les mille automnes de Jacob
de Zoet

Larry TREMBLAY
Le Christ obèse

Marie Hélène POITRAS
Griffintown

Margaret LAURENCE
Une maison dans les nuages

Patrick deWITT
Les frères Sisters

Serge LAMOTHE
Les enfants lumière

Isabelle FOREST
Les laboureurs du ciel

Andrew KAUFMAN
Minuscule

Hélène VACHON
La manière Barrow

Diane SCHOEMPERLEN
Encyclopédie du monde visible

Deni Y. BÉCHARD
Remèdes pour la faim

Marina LEWYCKA
Traders, hippies et hamsters

DÉJÀ PARUS DANS LA COLLECTION CODA